오늘의 인사총무, 맑음

오늘의 인사총무, 맑음

중소기업 인사총무를 말하다

ⓒ이은주

펴낸날   2020년 4월 1일, 초판 1쇄

지은이   이은주
펴낸이   민승원
책임편집   민승원

펴낸 곳   ㈜연지출판사
출판등록   2015년 1월 2일 제2016-000010호
주소   61173 광주광역시 북구 우치로 178 (용봉동)
이메일   younjibook@gmail.com
대표전화   070-7760-7982
팩스   0303-3444-7982
홈페이지   https://yjbookstore.com/younjibook

ISBN   979-11-86755-42-6 (03810)
정가   13,000원

중소기업 인사총무를 말하다

오늘의 인사총무, 맑음

이대리 지음

정신을 차린 나는 실무를 열심히 익혔다. 그러나 문득 한 번씩 마음을 두드리는 어떤 질문들에는 확실한 대답을 하지 못했다. 가령 이런 것들이었다. '이런 조직에서 어떻게 커리어를 쌓을 수 있어?', '잡일도 경력이 되니?', '이 작은 회사에서 제도를 설계하는 게 도움이 될 것 같아?' 등등.

나는 명확한 답을 찾고 싶었다. 그래서 명사들만 나온다는 비싼 강연도 다녀보고, 서적을 구매하기도 했다. 그러나 노력에 비해 답은 실망적이었다. 그들은 모두 대기업 출신이었기 때문에 거리가 먼 인사정책 이야기만 하였고 총무에 대한 답은 아예 들을 수 없었다. 그건 대한민국에 나와 있는 모든 서적도 마찬가지였다. 참 의문스러웠다. 분명히 한국에는 대기업보다 중소기업이 많을 텐데, 왜 그것을 위한 건 없는 걸까.

그러던 어느 날, 나는 의외의 곳에서 비슷한 고민을 하고 있는 사람들을 발견했다. 한 인터넷 커뮤니티였다. 그리고 그곳에서 마침내 내 질문에 대한 답을 구할 수 있었다. 나와 같은 길을 더 오래 걸어

온 사람들이 많았기 때문이었다. 우리는 그렇게 서로의 지식을 공유하고 때로는 고충을 들어주며 같이 길을 걸었다.

그리고 이곳에는 내가 지금까지 어떤 고민을 해왔는지, 새로운 지식에는 어떻게 돌파구를 찾으려 노력했는지, 업무에 대해 어떤 확신을 가지고 있는지, 우리 기업에 맞는 정책을 짜임새 있게 구성하였는지 등에 대한 흔적이 고스란히 남아있다. 그건 6년간 내가 한 고군분투의 기록이며 성장의 한 단면이다.

하지만 나는 뿌듯함을 느끼는 동시에 씁쓸한 감정을 느끼곤 했다. 중소기업의 인사총무 담당자들이 의지할 곳이 여기 이곳 하나라는 게 매우 한정적이라는 생각 때문이었다. 그리고 그때나 지금에나 변함없이 중소기업에 대한 교육과정과 서적은 그 수가 적고, 게시판에는 매해 같은 고민이 올라온다. 그것도 내가 6년 전 신입사원 시절 무수히 던졌던 질문과 너무나도 비슷한 내용으로.

그래서 나는 길이 생기기를 기다리기보다는 투

박한 길이라도 개척하는 방법을 택했다. 그게 바로 '오늘의 인사총무, 맑음'을 써낸 이유이다. 물론, 이 책이 모든 질문에 대한 정답은 아니다. 하지만 과거의 나처럼 길이 어딘지 몰라 헤매는 사람들에게 이런 길도 있다고 방향을 제시해주는 책이었으면 좋겠다. 그리고 자신이 잘 가고 있는지 고민하는 이들에게는 '나는 이런 길을 갔습니다만 당신은 어떻습니까?'라고 묻는 친구 같은 책이길 바란다.

차례

Chapter 1.

오늘의 인사총무, 도약

당신은 왜 인사총무팀을 지원하셨나요?

　　내가 다니는 회사는 이름이 잘 알려지지 않은 서울에 위치한 중소기업이다. 며칠 전 인사총무팀 신입을 구한다는 공고를 게재하였는데 꽤 많은 이력서가 접수되었다. 우리 회사가 언제부터 이렇게 인지도가 올라갔나 하는 생각이 들었다. 그럴 일은 특별히 없는데 말이다.

　　어떤 사람들이 지원했는지 채용사이트에 들어가 리스트를 펼쳐보았다. 그런데 일부 지원자들의 이력서를 살펴보니 관련 없는 학과를 졸업하거나 인사총무팀에는 조금 맞지 않는 이력의 지원자들이 지원서를 접수한 것을 볼 수 있었다. 그래도 '이 지원자가 인사총무에 관심이 있는 이유가 있겠지'라는 생각에 자기소개서를 눌러보았다. 그러나 그것마저도 형용사와 미사여구로 꾸며진 알맹이 없는 내용뿐이었다.

평소 같았으면 무시하고 넘어갈 이력서와 자기소개서들이었지만 왠지 그날만큼은 빤히 그 내용이 띄워진 모니터를 바라보았다. 그리고 '이 지원자는 인사총무팀을 어떻게 생각하고 지원한 걸까'라는 생각을 했다. 적어도 인사총무팀이 하는 일이 무엇인지, 어떤 전공이 도움이 되는지 그리고 자신의 어떤 경험이 인사총무에 도움이 될 것 같은지 한 번쯤은 알아보고 지원했으면 좋았을 텐데 말이다.

나는 5년 동안 인사총무팀에서 일하면서 인사총무 직무에 관심이 있는 지원자들과 면접에서 이야기를 나눈 경험이 많다. 그런데 이야기를 나누다 보면 신입 지원자들이 생각하는 인사총무 담당자의 자질이나 인사총무팀의 업무가 실제로 일하는 우리 담

당자들의 현실과는 거리가 꽤 있다는 생각이 들곤
했다.

먼저 대다수의 지원자가 잘못 생각하는 것 중의
하나는 관련 전공이 없다고 생각하는 것이다. 일반
적으로 영업 관련 부서는 회사에서 주력으로 판매
하는 제품 관련 기술학과의 이력이 필요하다. 또 회
계 관련 부서는 회계를 전공하거나 회계 관련 자격
증을 보유한 인재를 필요로 한다. 그런데 이상하게
도 인사총무팀을 지원하는 대다수 지원자는 인사총
무팀에서 어떤 전공 출신의 졸업자를 원하는지, 어
떤 경험을 우대하는지 잘 모르는 경우가 많다.

이러한 이유 중의 하나는 인사총무팀에 전공이
필요할 만큼 전문성이 있는 부서라고 생각하지 않기
때문이다. 그러나 이 직무를 그렇게 쉽게 생각하고
지원을 하는 사람이라면 회사 입장에서는 정중히 입
사를 거절할 것이다. 또 운이 좋게 들어와도 버티지
못하고 근속기간 1년을 넘기지 못하는 경우가 많을
것이라 확신한다.

바깥에서 보는 것과 달리 인사총무팀은 꽤 많은

일을 한다. 먼저, 직원의 채용부터 퇴직까지 순간마다 직간접적으로 영향을 준다. 그리고 회사의 채용, 급여, 복리후생 등 회사가 체계적으로 돌아갈 수 있도록 전반적인 제도를 만들거나 개선하고, 회사의 인재를 육성하는 등 인적 자원을 관리하는 일을 한다. 이 밖에도 시대가 변하면서 인사총무팀의 업무 영역은 그 이전보다 훨씬 확대되고 있다. 왜냐하면, 직원 스스로 자신이 일하는 회사의 복리후생, 자신이 있는 공간에 대한 시설수준, 일과 삶의 균형 등을 중요하게 생각하기 때문이다. 이 말은 이제는 인사총무팀이 직원의 입장에서 좀 더 세심하게 그들의 환경을 신경 쓰고 제도를 보완하는 등 챙겨야 할 영역이 그만큼 커졌다는 이야기이다.

따라서 인사총무팀은 그 중요성을 인식해 조직과 사람에 대한 폭넓은 이해를 할 수 있는 사람, 관련 전문지식을 가지고 있는 사람을 원한다. 관련학과는 경영학과, 행정학과, 법학과, 심리학과 등이다. 특히 법학과를 가장 선호하는데, 인사와 총무 업무에 있어 근로기준법, 세법, 민법과 관련한 법을 많이 알아야 하기 때문이다.

하지만 이러한 학과를 나오지 않았다 하더라도 실망하지 않았으면 한다. 학창 시절 학생회에서 활동한 경험이라든지 조직과 다른 사람에 대한 관심이 많은 기질 등 인사총무팀에 도움이 될만한 이력과 성격 등을 잘 어필한다면 좋은 결과를 얻을 수 있다.

한편, 지원자들이 인사총무 직무에서 가장 흥미로워하는 부분은 바로 회사의 주요 결정사항을 미리 알 수 있다는 점과 임직원들의 연봉정보를 포함한 모든 정보를 알 수 있는 점이다. 결론부터 말하자면 이는 맞는 생각이다. 대표와 임원들이 위원회에서 결정한 모든 중요사항을 이행하려면 반드시 거쳐야 하는 업무절차가 있고, 그것을 서포트하며 수행하는 부서가 인사총무팀이니 당연히 알 수밖에 없다. 또, 매년 누가 인사평가를 잘 받았고, 그에 따라 연봉이 얼마나 올랐는지 다른 직원들보다 빠르면 한두 달 먼저 알 수 있다. 그러나 불행하게도 딱 거기까지이다.

사실 이러한 업무는 일부분일 뿐이다. 인사총무팀에서는 중요한 일 말고도 여러 가지 잡일을 해야 하는 경우도 매우 많다. 아마 인사총무팀이 점심을 먹고 가장 많이 들리는 곳이 모든 것이 다 있다는 다이소와 철물점일 것이고, 직원들이 자주 쓰는 화장실과 탕비실에서 자주 일어나는 사소한 문제는 당신의 인내심을 시험할 것이다.

그래서 인사총무팀은 그 사람과 조직의 연봉, 성과 등 눈에 보이는 모든 숫자 정보를 다 알고 싶어 하는 사람이 아니라 늘 사람과 환경에 대해 보이지 않는 것에 관심을 가지고 그것을 개선할 수 있는 사람이 되어야 한다.

굳이 비유하자면 인사총무팀에서 일하는 당신은 오늘 1급 비밀을 알게 된 총리가 될 수도 있고, 내일은 변기를 뚫는 사람이 될 수도 있다. 만약 중요한 결정사항은 알고 싶지만, 막힌 변기를 해결할 의지는 없다면 당신은 중소기업 인사총무팀에서 오래 살아남을 수 없다.

많은 인사총무 담당자들은 자신의 조직관리를

위해 더욱 전문성을 키우려 한다. 그리고 잡일이든 아니든 그 역할에 최선을 다하려 노력한다. 이 일이 아니면 평생 느끼지 못했을 사명감과 책임감을 느끼면서 말이다. 지금 이 글을 읽는 당신은 왜 인사총무팀에 지원했는지 스스로 자문을 해보길 바란다.

인사총무팀 신입은 무엇을 해야 할까요?

최근 인터넷 서핑을 하면서 재미있는 것을 발견하였다. 바로 신입 시절 내가 올린 고민 글이었다. 업무가 너무 어려워서 버거워하고 실수도 너무 잦아 스스로 자책하는 내용의 글이었는데 지금 보면 신입으로서 당연히 할 수밖에 없는 고민이라 이런 것으로 전전긍긍했던 내 모습을 생각하면 웃음이 나온다. 그러나 시간이 지나서 업무가 익숙해지면서 그때처럼 나 자신에 대해 성찰하며 진지하게 고민해본 적이 있었나 많은 생각이 드는 순간이었다.

그럴 일은 없겠지만 누군가 신입 시절로 다시 돌아가 나 자신을 만날 기회를 주겠다고 한다면 나는 스스로 어떠한 것들을 조언해줄 수 있을지 생각해보았다. 기가 막힌 엑셀 스킬? 탄성이 나올 만큼 화려한 품의서 작성 스킬? 아니다. 바로 아래의 공원관리인 이야기를 들려주며 스킬이 아닌 '기본'을 쌓으라고 조언하고 싶다.

A라는 공원에 새로운 공원관리인이 입사하였다. 이 공원관리인은 공원을 관리하기 위해 무엇을 알아나가야 할까? 첫째, 이 공원의 구조를 보기 위해 전체적인 지도를 차근차근 살펴야 한다. 어느 곳에 길이 나 있는지, 어느 곳에 어떤 시설이 있는지 말이다. 둘째, 공원 규정을 확인해야 한다. 공원은 규정상 어떻게 관리하는지, 공원에서 시민들이 하지 말아야 할 것과 관리자로서 해야 할 것들을 구분해야한다. 셋째, 공원 안을 돌아다니면서 시설물과 나무들을 조사하고 전임자들은 어떻게 관리했는지 세세히 확인한다. 마지막으로 전임자가 수행했던 1년의 공원관리 일정과 업무를 참고한다.

위 공원관리인 사례에서 새로 들어온 공원관리인이 관리 업무를 어떻게 단계적으로 파악하는지 그 과정을 알 수 있다. 물론 아무리 노력한다고 해도 전임자만큼 공원에 대한 모든 사항을 알 수는 없다. 관리하는 과정에서 실수가 나올 수도 있다. 하지만 시간이 지나면서 공원관리인은 차차 나아져 시민들이 즐거운 공원을 만들어나갈 것이다.

그러나 나의 신입 시절을 생각하면 공원을 파악하는 시간도 없이 어떻게 하면 다른 사람들처럼 조경을 멋있게 만들 날이 올지, 어떻게 하면 다른 사람들처럼 화려한 놀이터를 설치할 날이 올지 이러한 것에만 관심이 많았던 것 같다.

나는 인사총무팀에서 가장 중요한 것은 핵심보다 기본을 아는 것이라고 생각한다. 우리 회사의 조직, 우리 회사의 직원, 우리 회사의 규정과 같은 기본적인 내용을 찬찬히 파악하다 보면 머지않아 나만의 멋진 공원을 만들 수 있을 것이다. 다음은 인사총무팀의 신입으로서 기본적으로 알아두면 좋을 사항이다.

— 우리 회사와 우리 조직, 우리 직원을 알아야 한다.

영업부서가 회사에서 주력하는 상품과 서비스를 클라이언트에게 판매하기 위해서는 그에 관한 모든 정보를 공부해야 한다. 그렇다면 인사총무팀은 고객이 없을까? 아니다. 인사총무팀은 조직과 임직원이 내부 고객이다. 우리는 이 내부 고객을 상대로 인사총무라는 서비스를 제공한다. 따라서 머릿속에 회사와 조직 그리고 사람에 대한 정보를 받아들여야 한다. 이 과정이 없다면 결코 인사총무팀에서 일할 수 없다.

일단 우리 회사의 조직도는 어떻게 되어있으며, 해당 조직은 어떤 일을 하는지 알아야 한다. 나아가 그 조직마다 속한 직원의 얼굴 정도는 지나가다가 보면 알 수 있을 정도로 사진을 자주 보며 익히는 것을 추천한다. 처음엔 이것이 몹시 어려울 것이다. 중·고등학교 학생들도 처음 반이 결정되면 친구들의 이름과 얼굴을 익히는 데만 한 달 정도는 시간이 걸리는데 그보다 더 많은 인원을 외워야 하니 부담일 수 있다.

하지만 이른 시일 내에 외워야 한다는 부담은 갖지 말길 바란다. 업무를 하다가 여유가 있을 때 한 번씩 익히는 편이 더 좋다. 가능하다면 이 직원이 언제 입사를 해서 승진 등이 어떻게 이루어졌는지 인사기록 카드를 보며 이력을 살펴보면 훨씬 더 그 조직과 직원을 이해하는 데 도움이 된다.

이렇듯 회사와 조직, 그리고 사람에 대해서 알아야 하는 이유는 크게 두 가지가 있다. 첫 번째는 어떤 상황이든지 신중한 결정을 하기 위해서다. 인사총무팀은 사람과 조직을 다루는 부서이기 때문에 주관적인 판단을 필요로 하는 업무가 있을 수 있고 센스를 발휘해야 하는 업무도 있다.

이때 정말 작은 것에서부터 큰 것까지 수많은 요인이 결정에 영향을 미친다. 그리고 최선의 결과를 얻기 위해서는 그 조직과 사람이 어떠한 상황을 거쳐 이러한 결과까지 오게 되었는지, 그 조직과 사람의 특성, 성격 등도 생각해야 하는 신중함이 필요하다. 예를 들어 행사 기획, 교육 제도 기획, 산재 사건 처리, 정리해고 등이 있을 수 있다.

두 번째는 직원들에게 인사총무팀은 회사 그 자체이기 때문이다. 나는 일을 하면서 한 가지 알게 된 사실이 있다. 직원들은 인사총무팀의 태도가 회사의 태도라고 생각하는 경향이 있다. 그래서 인사총무팀과 다른 직원들의 심리적 거리는 회사와 직원들의 심리적 거리와 마찬가지다. 따라서 인사총무팀이 어떻게 하느냐에 따라 우리 직원들이 회사에 느끼는 애사심이나 신뢰감, 그리고 친밀감이 달라질 수밖에 없다. 반대로 인사총무팀이 직원에게 무관심하다면 회사가 직원들에게 무관심한 것처럼 생각하게 된다. 그래서 우리의 조직, 우리의 회사에 관심을 갖고 다가가는 것이 중요하다.

회사 규정 파악하기

갓 회사에 입사한 신입이라면 회사의 사내 규정을 찬찬히 살펴보기를 추천한다. 규정이란 회사의 인사관리 제도를 명문화한 것으로서, 회사의 정책과 인사총무팀의 업무 방향을 파악하는 데 이보다 좋은 것은 없다. 회사에는 가장 기본이 되는 취업규칙과 더불어 다양한 규칙이 있는데 시간을 두고 이를 찬찬히 살펴보면 좋다.

처음에는 낯선 업무용어와 법률용어가 많아서 이해하기 쉽지 않을 것이다. 그러나 뭐든지 첫술에 배부를 수는 없다. 이해가 안 된다면 서너 번 정도 반복하여 읽고 내가 일해야 하는 회사의 스타일이 어떠한지 파악하는 것이 중요하다. 모르는 용어가 나온다면 그냥 넘어가기보다 메모를 해두고 나중에 기회가 되면 상사에게 질문하며 정보를 얻거나 인사 총무 커뮤니티, 인터넷 검색 등을 통해 정보를 얻는 것이 좋다.

프로세스 파악하기

프로세스란 말 그대로 '절차'를 뜻하며 회사에서는 업무를 실행하는 한 단계, 한 단계를 의미한다. 회사에서 실행하는 업무 한 단위에는 시작부터 끝을 맺을 때까지 여러 단계가 존재한다.

예를 들어 회사에서 채용을 진행한다고 가정해 보자. 보통 현업부서의 팀장과 인사 담당자가 이야

데도 결국 나는 답을 하지 못했다. 나의 머릿속에는 건강보험 요율이 아닌 실무를 할 때 열어놓았던 엑셀 파일의 모습만 떠올랐기 때문이다.

그 순간 굉장한 부끄러움에 휩싸였고 자리에 돌아가 다시 급여 엑셀 파일을 열었다. 대체 무엇이 잘못되었던 걸까? 잠시 고민했다. 하지만 얼마 지나지 않아 그동안 업무를 제대로 수행하지 못했다는 것을 깨달았다. 그저 전임자가 만들어놓은 파일 속에서 숫자 집어넣기 게임만 하고 있었던 나를 발견하였다. 엑셀 파일 속에 수많은 수식이 존재하지만 그것은 전임자의 것이지 나의 지식이 아니었다.

그렇다면 어떠한 태도를 가지고 업무를 해야 했을까. 그저 숫자만 집어넣는 것이 아니라 '왜?', '무슨 근거로?', '무슨 기준으로 이것이 적용되었을까?' 하는 의문을 가져야 했다. 나는 다시 파일을 들여다보며 의문을 가지고 답을 찾아갔다.

인터넷에 찾아보니 건강보험은 급여지급액의 일정 요율을 곱해서 나오는 금액이라는 설명을 보았다. 그러나 내가 지금까지 살펴본 업무수행 파일과 대조해보니 금액이 맞지 않았다. 순간 당황했지만 계속해서 정보를 찾아보니 식대와 같은 비과세 항목은 제외한 뒤 세금을 매기는 기준이 되는 금액, 즉 과세 급여에 건강보험 요율을 적용한다는 사실을 비로소 알게 되었다. 경력자에게는 너무나 사소한 정보일 수도 있다. 그러나 그 순간에 느낀 앎의 기쁨은 아직도 잊지 못한다.

인사총무 업무에서는 많은 기준이 존재한다. 당신이 하는 업무는 근로기준법, 세법 등 어떤 법에서 나왔는지, 그것이 회사 내의 일이라면 어떤 사규, 어떤 배경에서 탄생하고 어떻게 업무가 진행되는지 등 세세한 의문을 가져야 한다. 그렇게 꼬리에 꼬리를 물며 질문에 들어가다 보면 결국 온전한 자신의 지식을 갖게 될 것이다.

신입을 위한 이대리의 조언

　　업무를 마치고 퇴근을 하는 길에 횡단보도에서 회사에 갓 입사한 신입을 마주쳤다. 항상 생글생글 웃어서 밝은 친구라고 생각했는데 인사를 하면서 보니 그 친구의 눈시울이 꽤 붉어져 있었다. 걸으면서 자초지종을 들어보니 요즈음 실수를 너무 많이 해서 마음고생이 이만저만이 아닌 모양이었다. 그 친구를 보내고 집으로 돌아가는 버스에서 나의 신입 시절이 떠올랐다.

　　14층 여자 화장실 맨 안쪽 칸, 신입 시절의 나

역시 그곳에서 꽤 많은 눈물을 흘렸다. 대체 왜 이렇게 실수를 많이 하는지, 상사들은 잘하는 업무들을 나는 왜 이렇게 버겁게 느끼는지, 나도 나를 알지 못했다. 하지만 지금 생각해보면 왜 그렇게 자책하고 스스로를 힘들게 했는지 모르겠다. 신입이 틀리고 잘 모르는 것은 당연한데 말이다.

처음 한두 달은 신입이기 때문에 그렇다고 나 자신을 위로했지만 그렇게 서너 달이 지나고 나니 내가 일을 매우 못하는 사람이라고 느껴졌다. 늘 다른 사람에게 민폐만 끼치는 사람이라고 자신을 가두고 괴롭히기까지 해서 자존감이 낮은 상태였다. 매일 집으로 가는 퇴근길에는 내일이 오지 않기를 바라며 눈을 감았고 출근길 지하철에 몸을 실을 때는 누가 보면 마치 어디 끌려가는 사람처럼 표정이 굉장히 어두웠다.

혹시 이 글을 보고 내 이야기다 싶은 사람이 있는가? 그렇다면 너무 걱정할 필요는 없다. 아마 회사 안에서 당신이 알고 있는 모든 사람의 신입 시절이 이와 비슷했을 것이니 말이다. 그들도 역시 당신처럼 이러한 시기를 겪었다. 마치 아이가 걸음마를 뗄 때 수없이 넘어지고 휘청거리지만 곧 중심을 잡고 앞을 향해 나아가는 것처럼 이제는 예전보다 더 단단해졌을 뿐이다. 하지만 좌절에 빠져 아무 말도 들리지 않는 직원이 있다면 나는 이렇게 조언해주고 싶다.

─────── **상사의 조언을 실수라고 착각하지 마라.**

신입 시절, 회사로 어떤 문서가 우편으로 온 적이 있었다. 나는 문서를 훑어본 후 문서 앞면에 회사가 수신했다는 수신도장을 찍고 결재 칸을 만들어 팀장님께 보고했다. 팀장님은 문서를 검토하더니 조언을 건넸다.

"'이', 다음부터는 결재 칸을 뒷면에 찍었으면 좋겠네요. 이렇게 찍으면 내용이 가려져서 다른 사람이 보기가 힘들어지거든요. 수고했어요."

그때는 입사한 지 넉 달 정도가 지날 무렵이었고 잦은 실수로 마음고생이 심했던 때였다. 팀장님의 말을 조언이 아닌 나의 능력 부족을 탓하는 질책으로 받아들였고 자책했다. 그러나 '이'를 본 같은

팀 선배와 커피를 마시며 회사생활에 대한 이야기를 나누면서 내가 착각했다는 사실을 깨달았다.

"'이', 팀장님은 '이'를 나무란 것이 아니에요. 팀장님은 '이'보다 더 많은 경험을 했기 때문에 다양한 상황을 생각하고 더 나은 방향을 제시하곤 해요. 오늘 있었던 일은 '이'의 능력 부족이 아니라 이렇게 하면 더 좋겠다는 조언일 뿐이니 마음에 담아두지 마세요. 팀장님이 더 좋은 개선책을 주신 것을 '이'를 가르치고 싶으신 마음이 가득한 것으로 생각했으면 좋겠어요."

나도 신입 시절을 겪고 몇 년이 지나고 나니 이것도 정답이지만 이렇게 하면 더 효율적으로 일을 할 수 있을 것 같다고 생각할 때가 많아 하급자에게 조언해줄 때가 있다. 이 친구가 모자람이 있어서가 아니라 내가 팀장님으로부터 받은 것과 같이 더 좋은 방향으로 안내를 해주는 것이다.

상급자의 입장에서 신입이 업무와 관련된 조언을 긍정적으로 받아들이고 개선된 업무태도를 보인다면 동료로서 애정이 생길 수밖에 없다. 그러나 업무와 관련된 조언을 자신의 능력 부족을 탓하며 부정적으로 받아들인다면 상급자도 그런 모습을 보며 '괜한 말을 했나' 하는 불편한 마음이 든다. 그러니 항상 긍정적으로 업무에 임하도록 하자.

──────────────────── '빨리' 보다 '정확히'

신입 시절을 돌이켜 생각하면 상급자가 지시한 일을 되도록 빨리 진행해야 한다는 생각이 강했다. 그러나 조급한 마음으로 업무를 마무리 짓고 상급자에게 보고하면 얼마 지나지 않아 나의 실수를 무더기로 증명하듯 수정요청이 가득한 포스트잇으로 도배된 결재 안을 반려받기 일쑤였다.

그때, 팀장님은 일을 빨리 처리하는 것보다 느리더라도 정확히 하는 편이 좋다며 한 번 더 찬찬히 짚어보라고 말해주셨다. 반려된 결재 안을 보니 오타, 회계단위 조정 등의 초보적인 실수가 대다수였다. 마음이 급하니 핵심적인 것만 보고 전체적으로 자세한 내용은 검토하지 않은 것이다. 그 후로 나는 조급함을 버리고 검토에 더 많은 시간을 할애했다.

초보적인 실수를 하지 않기 위해 모니터 화면으로만 검토하기보다는 프린터로 인쇄하여 최종본을 보았고 숫자도 계산기로 다시 두드려보며 계산상에 문제는 없는지 몇 번을 검수하였다. 이후 실수는 눈에 띄게 줄어들었고 나중에는 믿을만한 직원이라는 평가로 이어지게 되었다. '빨리'보다는 '정확히' 해내는 것, 기본 중의 기본이 아닐까?

실수 체크 리스트

나는 오래전부터 바탕화면에 'Mistake Check List'를 만들어 관리하고 있다. '다음에는 결코 이런 실수를 하지 말아야지!'라고 다짐하며 사소한 실수라도 꾸준히 기록하고 있다. 기록을 할 때는 자주 실수하는 것과 그렇지 않은 것을 구분한다. 과거에 실수하였는데 또 실수한 것들은 강조 표시를 해놓는다. 자주 실수하지는 않지만 크게 실수한 것에 대해서는 내가 왜 그렇게 했는지 되짚어보고 다시는 그런 안일한 생각을 하지 않도록 당시의 생각을 적어놓기도 한다.

─────── **월, 주, 일 단위별 해야 할 일을 기록하자.**

팀 단위로 매월 월간업무 보고나 매주 주간업무 보고를 진행하는 곳도 있지만 그렇지 않은 경우도 있다. 이럴 경우 자신이 주도적으로 월초, 주초, 일별로 해야 할 업무를 기록한 업무일지를 작성하고 업무 실행을 잊지 않도록 하는 것이 중요하다.

업무일지를 작성하면 주기적인 업무 흐름을 쉽게 알 수 있고 업무 우선순위를 세울 수 있다는 장점이 있다. 나는 엑셀 시트별로 달력 형식의 업무일지를 만들었는데 상위에는 월 단위로 해야 할 것을 적고 달력에는 일 단위로 해야 할 일들을 적어 관리하였다. 갑작스러운 일이 생기거나 데드라인이 있는 업무, 중요한 임원의 출장 일정 등도 종합적으로 관리할 수 있어 효율적인 구조이다.

──────────────────────── **늘 메모를 하자.**

메모는 신입뿐만 아니라 모든 직장인에게 필수이다. 회의 및 보고 시 다이어리에 윗사람의 피드백이나 중요사항 등을 정리하여 반드시 업무계획을 세울 때 업데이트해야 한다.

나는 윈도우에서 제공하는 스티커메모를 사용한다. 스티커메모는 바탕화면에서 언제든지 불러올 수 있어 빠르고 간편하게 메모를 작성하고 확인할 수 있다. 수기로 메모한 모든 내용을 일단 스티커메모에 옮겨놓고 시간이 있을 때 일목요연하게 정리한 후, 업무보고서에 정보를 업데이트하는 데 사용하면 매우 효율적이다.

───────────────────────── **검토 툴을 만들자.**

직장인이 업무를 하면서 지녀야 할 태도는 '나는 언제든지 실수를 할 수 있는 사람'이라는 사실을 인정하는 것이다. 메일을 보낼 때는 전송 버튼을 누르기 전에 다시 한번 내용을 살펴보며 오타가 없는지 확인하고, 보고서를 작성할 때는 마지막으로 결재를 상신하기 전에 잘못된 내용은 없는지 검토해야 한다. 이른바 '브레이크'다.

직장인 중에서 일을 잘하는 사람은 자신에게 맞는 편리한 검토 툴을 잘 만든다. 나는 숫자를 다루는 급여 업무를 할 때 검토 툴의 효과를 톡톡히 본다. 이번 달 급여와 저번 달 급여의 인별 차액을 검토하는 수식을 걸어놓아 왜 이런 차액이 나왔는지 검토하고 본래 계약급여와 이번 달 급여와의 인별 차액을 한 번 더 검토하는 수식을 걸어 이번 달 지급액에 틀린 곳은 없는지 한 번 더 살펴본다. 4대보험의 경우에도 요율별로 잘 공제가 되었는지 수식을 걸어놓고 차액이 발생하였다면 왜 그런 것인지 분석하여 실수를 사전에 방지한다. 만약 숫자 데이터를 다루는 업무에서 오류가 잦은 사람이라면 이런 방식의 검토 툴을 만들어 적용해보기를 바란다.

─── **언제나 주도적으로, 셀프리더십을 발휘하자.**

신입의 가장 큰 장점이자 단점은 전적으로 언제든지 업무를 가르쳐줄 누군가가 있는 것이다. 가르쳐줄 누군가가 있는 것은 자신의 발전에 있어 아주 좋은 점인데 왜 단점이라고 적었을까? 자칫하면 스스로 발전하지 않고 누군가에게 의지하게 되기 때문이다.

입사 3개월까지는 업무를 익히는 시기이기 때문에 실수가 잦아도 모두가 용인하고 넘어간다. 그러나 그 이후부터는 오타나 데이터의 결함과 같은 기본적인 실수를 하면 꼼꼼하지 못하다는 평가를 듣게 된다. 혹시 이런 평가를 받는다면 상급자에게 자신이 지나치게 의지하고 있는지 되돌아볼 필요가 있다. 내 뒤에 언제든지 나의 보고서를 검토해주고 가르쳐줄 상급자가 존재하기에 주도적으로 일하기보다는 대충 검토한 후 보고하는 태도를 지니고 있을지도 모른다. 이럴 때는 자신이 늘 최종 결재권자라는 생각으로 책임감을 가지고 업무를 진행할 것을 권한다. 그렇게 하면 이 일이 어떻게 해서 진행되는 것인지 그 근본부터 깨달을 수 있고 자연스럽게 업무의 순서 및 상황을 생각하며 일하게 된다. 따라서 업무를 온전히 자신의 것으로 흡수할 수 있다.

다만 주도적으로 일하되 업무를 실행할 때는 항상 상급자에게 의견을 구하고 진행해야 한다. 특히 인사총무팀의 경우 자신이 마음대로 결정하여 멋대로 실행한다면 난감한 상황도 많이 발생할 수 있다.

따라서 업무가 익숙해지기 전까지는 셀프리더십을
발휘하는 태도를 갖되, 반드시 상급자에게 업무 진
행 방향에 관해 물어보는 습관을 지녀야 한다.

회사의 잡부?

총무의 커리어개발은 어떻게 해야 할까요?

어느 날, 회사에서 함께 일하던 동료가 나에게 말을 걸었다.

"이대리는 인사 업무로 커리어를 시작해서 참 부러워. 난 총무 업무만 해서 전문성도 없고. 사실 총무 업무를 오래 할 수 있을지 모르겠어."

나는 동료의 자조 섞인 말을 듣고 내심 놀랐다. 이 동료는 평소 직원들이 요청하는 민원에 불편한 내색 없이 묵묵히 일하는 친구였을 뿐만 아니라, 늘 미소를 짓고 다녀 조직에서 스마일 반장으로 불리

터 문제와 같은 것은 여유 있게 해결할 수는 있지만, 전혀 흥미로운 일도 아닐뿐더러 다른 직무처럼 연차가 쌓이면 전문성이 길러지는 것도 아니다. 총무 담당자는 바로 이때 위기의식을 느끼게 된다.

그리고 주위 환경을 돌아보며 자신은 이 회사에서 앞으로도 딱 이 정도 수준의 일만 할 것 같다는 것을 느끼게 되고, 언제든지 대체될 수 있다는 생각을 가지게 된다. 눈치를 보니 팀장님도 더는 나에게 다른 길을 열어줄 것 같지는 않다.

그렇지만 냉정하게 말하면 당신이 느낀 이 모든 느낌이 맞다. 이 글을 읽고 격하게 공감하고 있는 당신은 솔직하게 말해서 대체 가능한 인물이다. 이제 우리는 자신을 객관적으로 바라봐야 할 필요가 있다. 회사에서 몇 년째 똑같은 업무를 하고 딱히 전문성이 필요 없는 일을 하는 직원은 어떻게 될까? 나중에 저렴한 인건비가 드는 인력으로 언제든지 대체가 가능하다.

그런 의미에서 늘 평화롭던 우리에게 위기는 언제든 갑자기 찾아올 수 있다는 것을 알아야 한다.

예전에 내가 모시던 회장님은 이런 말을 하였다. "회사는 사익을 추구하기 위해 있는 것이지 사회복지가 아닙니다." 이처럼 회사는 회사의 존폐가 위협받는다고 느껴지면 권고사직 대상자 리스트를 작성한다. 그리고 인건비를 제일 먼저 줄이는 결단을 내린다. 그렇기 때문에 우리는 항상 떠날 준비를 하는 사람이 아니라 대체 불가능한 사람이 돼야 한다.

그렇다면 중소기업의 인사총무 담당자가 할 수 있는 노력은 어떤 것이 있을까? 첫 번째, 꾸준한 자기계발이다. 나는 중소기업 인사총무를 '이마트'라고 비유하고 싶다. 인사관리, 총무 업무, 회계에 대한 이해, IR, 공시, 전산관리 등 자신의 손길이 닿는 모든 분야에 대한 꾸준한 관심이 있어야 한다.

앞에서 나는 총무 담당자의 업무 범위가 정해지지 않았다고 말했는데 거꾸로 생각하면 그만큼 업무 범위가 넓다는 말로도 해석할 수 있다. 그렇다면 이러한 점이 무엇으로 해석될까? 바로 총무 담당자가 갈 길이 아주 다양하다는 것을 의미한다. 대기업의 경우 팀마다 서무가 있어 비용계산 등을 대리로

다 해주고, 법무, IR 등의 전문부서가 존재하지만 중소기업은 그렇지 않은 경우가 많다. 비용에 대해서는 총무 담당자가 직접 전표를 작성한다.

IR 및 공시 관련한 업무는 어떠할까? 대기업 상장사라면 IR이나 공시 등을 관련 전문부서에서 지원하는 경우가 많지만, 중소기업에서는 총무 담당자가 담당하는 경우가 많다.

그러나 답답하게도 보통 이러면 법무법인, 대행사 등을 따로 두고 있어 본인이 담당자임에도 불구하고 관련 지식을 쌓지 않은 채 수박 겉핥기만 하는 총무 담당자가 아주 많다. 이것이 바로 흔히 말하는 '물경력'인 것이다.

그러나 자신의 가치를 올리고 싶다면 관심이 가는 분야에 좀 더 깊이 파고들고 공부하여 전문지식을 쌓기를 추천한다. 그러다가 현재 있는 회사에서 조직이 더 커져서 전문화된 부서가 신규로 개설된다면 관심 분야에 대해 꾸준히 어필하여 부서이동을 고려해보아도 좋다. 그렇지 않다면 해당 분야의 비중이 큰 곳으로 이직을 고려하면 된다.

내가 아는 총무직원의 경우에는 비록 상장사가 아닌 중소기업에서 총무 담당자로 업무를 시작했지만, IR과 공시 분야를 꾸준히 공부하였다. 그러다 당시 상장을 준비하던 회사에서 IR 및 공시 업무에 투입되는 기회를 잡았고 현재는 총무와 겸하여 업무를 해 회사에서 대체 불가능한 인력으로 자리 잡았다.

두 번째, 늘 업데이트를 하자. 총무 담당자는 매년 세법개정안이나 부동산 임대차 관련 뉴스를 자주 찾아봐야 하고, 다른 회사에서는 자산관리 등을 어떻게 효율적으로 담당하는지 참고해야 할 필요가 있다. 실제로 많은 총무 담당자는 작년 자료들만을 복사해서 올해 업데이트를 하는 식으로 업무를 끝내는 경우가 많은데 이럴 경우 나중에 각종 내·외부 조사 등에서 큰 문제가 될 수도 있다. 나는 총무 담당자에게 있어 전문성이란 다른 것이 아니라 평소에 자료관리를 철저하게 하여 후일에 문제가 되지 않게 하는 것으로 생각한다.

몇 년 전 업무용 차량의 관리 기준이 변경되어

총무 담당자들 사이에서 큰 이슈가 되었다. 그 내용인즉슨 회사의 법인차량은 업무용 차량일지를 작성해야 한다는 내용이었다. 그러나 우리 회사의 총무 담당자는 별 문제 될 것이 없다고 생각하고 원래 회사가 하던 방법대로 관리를 이어나갔다. 몇 년 후, 우리 회사는 세무조사를 받게 되었다. 당시 국세청에서는 법인차량의 업무용 차량일지 작성에 대한 문제를 제기하였고 결국 세금이 추징되는 사태가 벌어졌다.

중소기업 총무 담당자라면 매번 변화를 감지하여 그것과 연계된 모든 것들이 머릿속에 떠올라야 하고 체크리스트를 작성하여 대비해야 한다고 생각한다. 총무팀 직원들 사이에서는 유명한 말이 있다. '사고 안 터지고 아무 일이 일어나지 않는 상태, 그것이 우리가 제일 잘하고 있다는 의미이다.'

세 번째, 일에 적응하지 마라. 총무 업무를 하다 보면 수많은 거래처를 만나게 된다. 사무용품업체 거래에서부터 법무법인과의 거래까지 명함이 남아나질 않는다. 그러나 시간이 지나면 그 명함이 떨어지는 속도는 현저히 줄어든다. 이유는 단 한 가지, 늘 하던 업체와 거래를 계속하기 때문이다. 시간이 지나면 업체 사장님과 친분도 두터워지고, 서로 눈빛만 봐도 어떻게 처리를 해달라고 하는지 알 수 있을 정도다.

그러나 이것이 좋은 상황일까? 사실 총무라는 직무가 돋보이려면 더 나은 서비스나 비용 절감을 위해 늘 꾸준히 노력해야 한다. 회사에서는 단순히 업체마다 견적만 받아서 비교하는 수집가적 총무는 필요 없다. 여기서 더 자신의 센스 있는 능력을 발휘해 회사의 비용을 아끼거나 우리 회사가 더 좋은 서비스를 받을 수 있도록 실현하는 것, 그것을 어필하는 것이 총무의 능력이다. 그러기 위해서 총무 담당자는 늘 하던 거래처에 적응하는 것이 아니라 언제나 새로운 업체 탐색을 시도하여야 한다.

네 번째, 고객을 만족시켜라. 영업부서의 고객은 말 그대로 클라이언트다. 그렇다면 인사총무 담당자의 고객은 누구일까? 모두 알고 있듯이 우리 회사의 임직원이다. 총무는 임원에서부터 말단까지 다양한 직원들과 커뮤니케이션을 할 수 있는 직무이다. 그리고 그들이 총무 담당자를 인정해야 회사가 총무 담당자를 인정한다. 이러한 의미에서 혹시, 직원들이 요청할 때 무표정이나 찡그린 얼굴로 일관하며 일을 하진 않았는지 자신을 되돌아보자.

나아가 직원들의 입장에서 생각해보자. 우리 회사의 업무환경을 어떻게 하면 좀 더 개선할 수 있을지, 어떻게 하면 직원들이 더 좋아하고 만족감을 얻으며 일할 수 있을지 다시 한번 그들의 입장에서 생각해보자.

총무 담당자들은 그들의 일을 반복되는 업무, 전문성 없는 업무, 잡일, 누구나 할 수 있는 업무라고 스스로 과소평가한다. 그러나 누구나 할 수 있는 일을 우리 기업에서는 자신밖에 할 수 없도록 만드는 노력도 필요하다.

개인적으로 친분이 있는 총무 담당자 B의 이야기이다. B의 자리는 매일매일 말단 직원부터 대표이사까지 B를 찾는 사람으로 넘쳐났다. B는 회사에서 없어서는 안 될 핵심인재였다. 어떻게 하면 그렇게 인정받는 총무 담당자가 될 수 있을까? 부러운 마음에 B에게 비법을 물어본 적이 있다. B의 노하우를 요약하면 다음과 같다.

B의 하루 일과는 인사총무 커뮤니티 (네이버 카페 '인사쟁이')에 접속하는 것부터 시작한다. 이 커뮤니티는 다른 어떤 곳보다 인사총무 분야의 뉴스와 업무 정보가 빠르게 업데이트 된다. 수많은 정보가 공유되고 실무에서는 어떻게 적용하면 좋은지, 같은 업계의 사람들에게 실제적인 조언을 받을 수 있어 많은 도움이 된다.

B는 커뮤니티를 통해 습득한 정보 중 회사에 적용할 만한 것이 있다고 판단되면 수동적으로 업무지시를 기다리기보다 적극적으로 의사결정자에게 개선점을 제안한다. 처음에는 직급이 높지 않은 자신이 의사결정자에게 제안을 한다는 사실이 어렵고 부담스러웠지만, 체계적인 보고 형식을 갖추고 논리적인 근거를 통해 개선점을 어필하니 팀장을 비롯한 회사 모두가 자신의 능력을 인정하고 이제는 먼저 도움을 구해온다고 했다.

이러한 업무 태도는 의사결정자들과 적극적인 커뮤니케이션을 할 수 있는 기회를 만들었고, 이는 B가 발전할 수 있는 기회가 되기도 하였다. 처음에는 단순히 총무로 시작하였지만 인사, IR 등 다양한 업무를 맡게 되었다.

다양한 업무를 한 덕분인지 B와 대화를 하면 그의 사고 수준이 남다르다는 것을 느낀다. B는 회사의 주식을 관리한다. 그는 회사의 주식을 관리하는 일에서 가장 중요한 것은 불필요한 비용을 줄이는 것이라고 말했다. 주식과 비용 절감은 그다지 연관성이 없는 것처럼 보였다. '도대체 주식관리와 비용 절감이 무슨 관계가 있느냐' 고 묻는 나의 질문에 B는 이렇게 답했다.

"회사가 불필요한 지출을 줄여야 우리 회사에 투자하는 주주의 이익이 커지고, 더 많은 투자를 유치할 수 있어요. 그래야 선순환 구조가 구축되어 회사가 발전하는 것이죠. 그래서 저는 사소한 지출이라도 사소하게 여기지 않게 되더군요."

B의 말을 들으니 그가 회사에서 인정받는 이유

가 무엇인지 자연스럽게 알게 되었다.

　이렇듯 전문분야의 지식을 쌓기 위한 노력, 늘 지식을 업데이트하는 노력, 늘 탐색을 하는 노력, 직원들을 만족시키려는 노력 등은 당신을 배신하지 않을 것이다.

IT회사와 섬유회사의 인사총무환경은 달라도 너무 다르다.

　가끔 인사총무 업무를 하면서 '모든 회사의 조건과 환경이 같다면 얼마나 일하기도 편하고 이직하기도 편할까'라는 생각을 하곤 한다. 물론 다른 직무도 마찬가지겠지만 인사총무팀의 업무는 특히나 회사의 기조, 회사 특유의 분위기 등에 의사결정의 방향성이 정해지기 때문에 더욱 그런 생각이 들곤 했다.

　나는 이직을 하면서 극과 극의 회사 분위기를 겪은 터라 이를 더욱더 심하게 체감한 케이스다. 나의 첫 회사는 구로디지털단지에 위치한 IT회사였다. IT업계의 인력은 다른 분야보다 이직이 잦은 편이며, 당시 회사 프로그래머들의 평균 근속기간은 약 2~3년이었다. 직원 규모는 약 300명이었고 이 중 프로그래머가 3분의 2를 차지하였기에 그들 특유의 자유로운 근무 분위기가 자리 잡고 있었다.

지금도 마찬가지지만 그 당시 프로그래머들은 철야 근무가 많았다. 그래서 밤새워 일하고 새벽에 귀가하여 점심 즈음에 회사에 오는 것을 누구 하나 잘못했다고 지적하는 사람이 없었다. 복장은 후드티셔츠에 청바지를 입어도 괜찮았다. IT회사에서 전 직원이 정장을 입고 코딩을 한다는 것을 어디 상상할 수가 있는가? 바로 그것이 그들의 직무 문화적 특성이었다. 따라서 인사기획팀 역시 프로그래머 직원들의 근태관리를 하지 않았고 그들의 자유로운 근무태도와 분위기를 존중했다.

그렇다면 다른 산업을 하는 회사는 어떨까? 이직 후 나는 정반대의 회사 분위기 속에서 일하게 되었다. 이번 회사는 의류 OEM 제조업체로 약 60여명의 직원이 일하는 중소규모의 업체였다. IT업체와 비교해서 가장 먼저 느껴지는 차이점은 근태관리였다. 전 직장은 프로그래머 개인의 코딩을 요구하는 문화였다면 이곳은 협업의 장이었다. 원단을 고르는 사람, 옷 디자인의 디테일을 보는 사람, 부자재를 구매하는 사람, 샘플을 만드는 사람 등 각 팀의 책임자 모두가 한자리에 모여 이야기를 해야 했다. 약속한 시각에 외부 거래처와 각각의 공정에 맞추어 일을 착착 진행해야 하는 시스템이었기에 그야말로 이들에게 시간은 돈이었다. 누구 하나가 빠지면 의사결정이 늦어지고 납기가 미루어지는 상황에 늘 시간은 촌각을 다투는 상황이었다. 그래서 그런지 이 회사의 근태관리는 어떤 회사보다도 엄격했다.

이러한 분위기가 인사총무팀에도 영향을 미쳤는데, 8시 30분까지인 시업 시간을 지나 출근한 직원에게는 지각경고장이 발송되고 대표를 포함한 임원까지 그날의 근태가 보고됐다. 사정이 이러하니 눈이 엄청나게 오는 등 천재지변이 아닌 날 외에는 지각하는 이가 없었다.

나는 이곳의 직원 근속기간을 보고 처음에 깜짝 놀랐다. 평균 근속기간이 무려 5년이나 되었다. 이력서를 보면 더욱 감탄을 금치 못한다. 미싱을 하시는 어느 기술직 주임의 경우 이력서를 장식하는 첫 연도가 80년대 다른 의류공장으로 거슬러 올라간다. 의류 OEM 제조시장은 업계가 매우 좁고 경험으로 쌓은 실력을 무시할 수 없기 때문에 15년 이상 된 장기근속자들이 많이 있는 편이다. 그러나 그렇기 때문에 IT업체보다는 훨씬 경직된 분위기 속에서 일하며, 상명하복의 군대식 문화가 남아있고 개인의 자유로운 의사보다는 조직이 먼저라는 인식이 팽배하다. 이렇듯 인사총무팀이 소속된 회사가 IT산업인지 혹은 섬유산업인지에 따라 회사의 분위기가 다르기 때문에 인사총무팀의 역할도 그에 따라 변모하게 된다.

회사의 인원 규모에 따라 자신의 인사총무 커리어는 달라질 수도 있다. 인사총무 업무에서는 채용 업무 또는 급여 업무만 전문적으로 다루는 사람을 '스페셜리스트'라고 부르며 채용, 급여, 복리후생, 평가 등 인사와 총무 전반에 걸쳐 관리하는 사람을 '제너럴리스트'라고 부른다. 일반적으로 회사 임직원의 수가 많으면 많을수록 인사총무팀의 업무도 세분화되어 한 사람이 특정 한 분야를 맡게 되어 스페셜리스트로서의 커리어를 쌓게 된다.

나 역시 인원수 300명의 대규모 IT회사에서 급여만을 담당하는 스페셜리스트로 커리어를 시작하였다. 이 조직에서는 3명의 구성원이 채용전담, 급여담당, 인사기획 등으로 분담되어 각자의 분야에서 업무를 수행하였다. 스페셜리스트로 업무를 수행하면 한 분야에만 집중할 수 있어 더 깊이 있는 지식을 쌓을 기회가 생긴다.

반면, 규모가 60명이었던 섬유회사에서는 인사와 총무를 겸하며 회사 구석구석의 살림을 책임지는 제너럴리스트가 되었다. 제너럴리스트의 경우 업무 범위가 넓어지기 때문에 종합적 판단사고를 키우기에는 더할 나위 없이 좋은 시간이었다.

만약 본인이 채용 전문가나 인사세무 전문가와 같은 스페셜리스트가 되고 싶다면 직원이 많은 큰 규모의 회사로 입사하는 것이 좋고, 인사 전반에 관해서 공부하고 싶다면 소규모 회사에서 제너럴리스트로 성장하는 것이 더 좋다. 자신에게 꼭 맞는 옷이 무엇인지 생각해보고 커리어를 쌓아가자.

Chapter 2.

오늘의 인사총무, 성장

인사총무팀, 이것만은 하지 마라.

―――――――――― 　 **자리를 지키는 사람이 되지 말자.**

현재 인사총무팀으로 재직하고 있는 독자가 있다면 한번 생각해보길 바란다. 자신이 얼마나 자기 자리를 지키고 있는지 말이다. 만약 9시부터 6시까지 근무시간 내내 자신의 자리를 지키고 컴퓨터만 바라본다면 조직과 사람관리에 어느 정도 소홀한 것이라고 말하고 싶다.

회사의 영업직을 생각해보면 그 답을 찾을 수 있다. 영업직은 일반적으로 오전에만 사무실로 출근하고 오후에는 영업활동을 하느라 자리를 비운다. 이는 내부 고객인 직원들을 대해야 하는 인사총무팀도 마찬가지로 해당하는 내용이다. 즉, 인사총무팀도 영업활동을 시작해야 한다는 뜻이다.

인사총무팀에 영업활동을 하라니, 무슨 뜻일까? 먼저 총무 담당자는 사무환경이 어떠한지, 직원들이 불편한 것은 없는지 의견을 청취해야 할 의무가 있다. 또 회사 곳곳을 돌아다니며 떨어진 물품은 없는지 등을 매일 확인해야 한다. 만약 불편사항이나 직원에게 도움이 될만한 내용에 대한 여러 의견이 접수되었다면 나중에 활용하여 복리후생으로 발전시켜서 내부 고객인 직원을 만족시켜야 한다.

사실 직원들은 회사에 많은 것을 바라지 않는다. 그저 자신의 업무환경 안에서 문제가 일어나지 않기를 바라고 문제가 일어나면 바로 해결되기를 바랄 뿐이다. 그러나 문제가 보이는데도 그것을 계속 고치지 않거나 해결할 의지가 없어 보이는 순간 '우리 회사의 인사총무팀은 무슨 일을 하는지 모르겠어'와 같은 불만이 쌓이고 나아가 '회사는 대체 우리를 위해 무엇을 해주는 것일까' 라고 생각하게 된다.

평상시 일시적으로 고장이 많이 나는 프린터가 있었다. 한 직원이 수없이 인사총무팀에 사후관리 서비스를 문의하였지만 들어주지 않았고 결국 프린터가 제대로 고장 나게 되었다. 하필이면 중요한 미팅이 있는 날이었고 그날 부랴부랴 다른 곳에서 자료를 뽑아 영업활동을 하게 되었다. 이 상황에서 직원들은 누구를 탓할까?

자신이 총무라면 이런 상황에서 어떻게 해야 할지 생각해보자. 사실 답은 간단하다. 당연히 불편함을 느낀 직원의 불만을 즉각적으로 처리해주어야 하는 것이 맞다. 그런데 총무 담당자는 워낙 많은 민원과 업무에 시달리다 보니 이러한 작은 것들을 중요하지 않게 생각하고 나중에 해줘도 되는 업무로 미뤄두는 경향을 보일 때가 있다. 그러나 총무로서 별것 아닌 일이라고 생각했던 일이 그 누구에게는 별것 아닌 일이 아닐 수 있다. 그 별것이 모여 인사총무팀의 평판이 된다는 것을 명심하라.

자리를 지키면 안 된다는 것은 인사 담당자도

해당하는 말이다. 늘 직원들의 안색을 살피고 표정이 안 좋아 보이는 직원에게는 안부를 묻자. 해당 조직의 건강하지 않은 부분은 무엇인지 평소에 파악하여 미리 개선하는 활동도 바로 인사 업무의 한 부분임을 잊지 말아야 한다.

아는 척을 하지 말자.

인사총무팀이 하지 말아야 할 두 번째는 바로 '아는 척'이다. 요즘 사람들은 개인정보에 대해서 굉장히 민감하게 생각한다. 누군가 자신의 번호로 전화하여 '○○○ 고객님이시죠? 저희는 △△라는 업체입니다' 하며 광고 전화를 건다면 바로 난색을 표하고 '제 전화번호는 어떻게 아셨죠?' 하고 날을 세운다. 누군가 내 정보를 안다는 사실에 대한 거부 반응이 뚜렷하다.

인사총무팀원은 회사의 임직원의 개인정보를 누구보다 잘 알 수 있다. 그리고 매일 이를 활용해 정보를 가공한다. 개인정보가 민감하게 다뤄지는 요즘, 인사총무팀원은 업무를 통해 알게 된 개인정보를 친밀함을 표현하는 데에 사용하는 실수를 저지르기도 한다. 타부서 직원에게 내가 당신의 정보를 다 알고 있으며, 당신은 내 손바닥 위에 있다는 뉘앙스를 풍기는 것이다.

실제로 A 직원은 사내 메신저를 통해 평소 친분이 있는 인사총무팀원에게 '내일 연차 쓰는구나, 무슨 계획이라도 있어?' 라는 메시지를 받았다. 그렇게 메신저를 보낸 인사 담당자는 평소 A라는 직원과 친하니 별 문제 될 것이 없다고 생각하였을 것이다.

그러나 A 직원은 순간 인사총무팀원으로부터 감시받는 느낌이 들어 굉장히 기분이 안 좋았다. 더불어 '당신이 하고자 하는 것을 우리가 모두 알고 있어요' 라고 회사가 말하는 것처럼 보였다.

이러한 생각을 넘어 예민한 직원들의 경우 회사가 연차를 소진하는 것에 대해서 부정적으로 생각하는지에 대해 신경 쓰고, 연차를 쓰는 것 자체에 눈치를 볼 수 있는 상황까지 초래될 수 있다. 잊지 말자. 알아도 모른 척, 몰라도 모른 척은 인사총무팀이 기본적으로 가져야 할 태도이다.

　세 번째, 입이 가벼워선 안 된다. 간혹 소통이라는 명분 아래 '김 대리, 그거 알아요?'로 시작하여 사내에서 일어난 사소한 사람 간의 갈등 이야기를 공유하는 경우가 있다. 또, 조직 사이에서 돌고 있는 소문에 대해 그 진위를 알고 싶어 평소 친분이 있는 인사총무팀원에게 사실을 확인해보는 직원도 있다.

　그러나 담당자가 이러한 이야기를 하는 것은 굉장히 위험한 일이다. 그것을 듣는 직원의 리액션은 재미와 놀라움으로 무장되어 있겠지만 속으로는 '인사총무팀이 우리를 감시하고 있나 보다', '사장님 귀에 들어가는 거 아니야? 나도 조심해야겠다'라는 생각을 자연히 들게 만든다. 이러한 생각은 타부서와 인사총무팀의 거리를 더 멀어지게 하는 상황으로 악화될 수 있다. 인사총무팀의 내부 정보를 타부서에 말하는 행동은 자신의 잠재적인 특권 의식이 발동되어 나타나는 행동이다. 이러한 생각을 자제하지 못하고 발현하는 것 또한 인사총무팀의 기본적인 자질 부족이라고 판단된다.

이러한 상황에 놓였을 때 모른 척하기 힘들어 이야기한다는 담당자들도 있다. 나는 인사총무팀에 필요한 능력 중의 하나가 바로 능구렁이 같은 연기력이라고 생각한다. 실제로 나는 직원들이 이러한 목적으로 대화를 시도할 경우 자주 모르는 척 연기를 한다. 혹시 자신이 절대적으로 연기력이 부족하고 거짓말을 하면 티가 나는 사람이라면 이렇게 말하고 행동해 보아라.

"어머, 진짜요? 그런 이야기가 있었어요? 전혀 몰랐어요."

모든 얼굴 근육을 확장하며 큰 눈으로 상대방을 바라보면서, 그리고 두 손바닥을 상대방에게 보이면서 말이다.

부정적인 태도는 금물

네 번째, 직원에게 부정적인 태도를 보이지 말자. 간혹 굉장히 고압적인 태도로 직원들을 대하는 인사총무팀이 있다. 마치 인사총무팀 자리는 성역인 마냥 타부서가 접근하면 쌍심지를 켜는 경우, 직원들에게 보내는 공지사항과 같은 안내문의 문장에서 고압적 태도가 느껴지는 경우 등이다. 이러한 조직의 경우 타부서 직원들은 평소에 느끼는 일상적인 불편함을 어디에도 호소할 수가 없다. 용기를 내어 말하더라도 고압적인 태도로 일관하며 비용 절약이니, 윗사람들의 결정이니 하는 명분으로 바로 거절을 당할 가능성도 높다.

나는 인사총무팀의 존재 이유를 묻고 싶다. 내가 생각하는 인사총무팀의 역할은 회사와 직원의 중간자로서 상대방의 의사를 전달해주는 메신저 역할이다. 현재 조직에서 많이 들어오는 의견은 무엇이며, 직원들이 이러한 일로 불편함을 겪고 신경을 많이 쓰고 있다는 정보를 경영진에게 전달해 이를 개선하려는 노력이 필요하다.

그러나 위에서 말한 고압적인 태도는 직원들이 하는 말에 귀를 닫고 그들에게 통보만 하는 일방적인 소통방식이다. 직원들의 이야기는 하나도 듣지 않고 전달도 하지 않으면서 회사가 직원들에게 월급을 준다는 이유만으로 경영진의 입장만 대변해주는 것이다. 만약 이렇게 인사총무팀을 이끄는 팀장이 있다면 잠시 몇 걸음 떨어져 회사와 직원을 객관적으로 다시 한번 보았으면 한다. 당신에게 월급을 주는 주체는 직원과 회사이며, 중간자의 역할을 잘하라는 의미에서 주는 것이다.

또한 타부서 직원 개인에게 감정에 치우쳐 객관적인 상황을 보지 못하는 상황을 조심해야 한다. 사실 인사총무팀 직원은 이러한 유혹에 자주 빠진다. 평소에 감정이 있는 직원에게 2만큼의 지원을 해줘야 한다고 하면 1만 해주던지, 아니면 갖가지 핑계를 대며 안 해주는 것이다.

나 역시 그러한 적이 있다. 두 번째 회사에서는 매일 아침 주임급의 직원 당번을 정해 커피머신을 청소하였는데, 그해에는 유달리 주임급 직원들이 많이 퇴사하게 되어 연차가 높은 대리급 직원들도 당번을 맡게 되었다. 그러자 한 대리가 나를 찾아와 한 사람이 해도 될 일을 여러 사람이 맡아서 하는 것 같아 비효율이라며 이를 개선해 달라고 요청했다.

나는 잠시 생각에 빠졌고 이내 부정적인 마음이 깊은 곳에서 올라와 자리 잡기 시작했다. 자신이 당번이 아닐 때는 다른 사람의 수고로움을 당연시 여겼으면서 왜 자신이 당번에 해당하니까 그제야 이러한 불만을 접수하는지 이해가 되지 않았다.

한참을 생각하였고, 인사 담당자가 자신보다 직급이 낮아서 만만하여 이렇게 불만을 터뜨리는 것인가 하는 생각이 들었다. 혹시나 그 대리의 의견이 합리적으로 맞다 하더라도 얄미워서 결코 들어주고 싶지 않았다. 결국엔 다른 핑계를 대며 해당 제도를 유지하였는데 나중에 속상하여 이러한 고충을 평소 개인적인 멘토로 생각한 임원에게 털어놓으니 이런 이야기를 들려주셨다.

"이 주임, 누구나 개인적인 감정을 가집니다. 그러나 인사총무 담당자라면 그것에서 몇 발짝 떨어져 객관적으로 그 사건을 바라볼 수 있는 지혜가 필요합니다. 이 주임은 한 번이라도 그렇게 생각하려고 노력을 해봤나요? 부정적인 마음은 안개와 같습니다. 자욱하여 아무것도 안 보이죠. 그러다 그것이 걷히기를 잠시 기다렸다가 진짜 그 민낯을 보고 상황을 정리하는 자세도 필요합니다. 어떤 부서보다도 인사총무팀은 감정에 휘둘리면 안 돼요."

우리는 어쩌면 지금까지 수많은 잘못된 행동과 태도를 가지고 직원들을 대했을 수도 있다. 회사의 현실적인 문제를 보지 못하고 책상에만 앉아 해결점을 찾는 담당자, 정보를 안다는 특권 의식을 내세워 직원들을 불편하게 만드는 담당자, 자신의 감정에 치우쳐 객관적인 판단을 하지 못하는 담당자, 고압적인 태도로 직원들과 소통을 하지 않는 담당자. 만약 자신이 이 중 하나라도 해당한다고 생각된다면 스스로 이러한 행동을 고치려고 노력해보았으면 한다.

"입은 무겁게, 엉덩이는 가볍게, 생각은 늘 신중하게"

인사총무팀에게 진정성이 필요하다.

    누군가는 인사총무 업무를 하면 회사에서 일어나는 일과 직원들의 모든 신상 및 연봉을 다 알 수 있어 좋을 것 같다고 말한다. 모든 것이 마냥 재미있고 신기했었던 신입 시절에는 나도 그렇게 생각했던 적이 있다. 하지만 점점 시간이 흐르고 업무를 수행하다 보니 나와 함께 일하는 동료들에게 좋지 않은 일이 있음을 알게 된 순간, 안타까운 마음이 들어 '차라리 몰랐으면 좋았을 걸'이라고 생각한 적이 한두 번이 아니다.

특히 연말정산 기간에는 의도치 않게 직원들의 속사정을 알게 된다. 평소 밝은 모습으로 직장생활을 그 누구보다 성실하게 하던 한 직원은 자녀가 장애가 있어 힘겨운 치료를 이어가고 있었다. 또 다른 직원은 이혼의 아픔을 겪고 가족과 떨어져 지내고 있었다. 이런 사정을 알게 되었을 때는 마음은 안타깝지만 위로를 건네기보다 그저 모른 척하고 다른 직원들과 똑같이 대할 수밖에 없다. 상대방은 그저 회사가 요구하여 연말정산 서류를 냈을 뿐이다. 인사총무팀이 자신이 말하지도 않은 사실에 관해서 묻거나 필요로 하지 않는 위로를 전하면 오히려 더 기분이 상할 수 있다. 따라서 섣부른 질문이나 위로는 삼가야 한다.

그러나 직원이 본인의 안 좋은 상황으로 인해 직접 인사총무팀에 도움을 구하는 경우에는 다르다. 이때는 모른 척하고 업무적으로만 대할 것이 아니라 진정성 있는 마음을 가지고 직원에게 위로의 말을 전하며 도움이 될 수 있는 것은 없는지 살펴보아야 한다.

몇 해 전, 같은 인사총무팀에 있던 차장님에게
한 신입이 찾아왔다. 입사한 지 일주일도 채 안 된
신입이었는데 사내 대출 제도가 있는지 물어봤다.
사규를 살펴보니 입사 6개월 미만인 직원들은 해당
제도를 사용할 자격이 안 되었다.

　　하지만 모른 척하고 지켜보고 있자니 그럴 수도
없는 상황이었다. 이야기를 들어보니 집안 사정으로
인해 신입의 가세가 많이 기울었고, 자신이 실질적
가장이지만 집조차 구하기 힘든 상황이었다. 많은
은행에 방문하여 대출을 받으려 노력했지만 입사한
지 얼마 되지 않아 힘들다는 답변을 여러 곳에서 받
았다고 했다.

　　고민 끝에 차장님은 회사와 자주 거래하는 은행
의 담당자에게 연락하여 혹시 이런 사정을 겪고 있
는 친구가 있는데, 대출 상담을 해줄 수 없겠냐는
부탁을 했고 해당 신입에게 담당자를 연결해주었다.
다행히도 대출이 잘 진행되어 급한 불은 끄게 되었
고, 차장님에게 고마움을 전했다고 한다.

　　사실 그 신입은 나와 비슷한 시기에 입사한 다

른 부서의 입사동기이자 현재 나의 남편이다. 우리 둘은 당시 이야기를 가끔 하곤 하는데, 남편은 항상 그때는 정말 급한 상황이어서 대출이 아니면 아무런 방도가 없었다고 한다. 당시 차장님의 도움이 어둠 한가운데 있던 자신에게 한 줄기의 빛처럼 다가왔다며 아직도 그 고마움을 잊지 못하고 있다.

만약 이와 같은 상황에서 차장님으로부터 '저희 사규에는 6개월 미만 직원들의 사내 대출은 허용되지 않고 있습니다. 죄송합니다.'라는 업무적인 답변만 받았다면 직원은 어떠한 느낌을 받았을까? 아마도 그는 차장님을 온종일 힘들게 돌아다니며 만난 몇 군데의 은행직원과 다를 바 없다고 느꼈을 것이다.

가끔 인사총무팀에서 직원들을 업무적인 태도로만 대하며 '나는 원칙주의야', '무조건 규정에 없으니 이건 안 됩니다' 하는 식으로 일 처리를 하는 직원들이 있다. 그런 친구들에게 나는 인사(人事)의 기본은 '사람 대 사람으로서의 이해'라고 말하고 싶다.

인사총무팀원이라면 이 직원이 현재 어떤 상황을 겪고 있느냐에 대한 이해, 내가 그 상황에 처해있다면 어떨까 하는 감정의 이해가 먼저이다. 규정 검토는 그 다음 일이다. 만약 회사 사정으로 인해 정말 이 사람이 원하는 것을 들어주지 못하더라도 이러한 과정을 통해 상황을 설명해주는 사람과 그렇지 않은 사람과의 커뮤니케이션에서 직원이 느끼는 진정성은 확연히 다르다. 이는 나중에 직원이 회사와 인사총무팀에 느끼는 유대감 및 신뢰감에 큰 영향을 미친다.

인사총무팀은 회사의 사장이자,
근로자의 대표다.

　　요즘 취업을 준비하는 학생이나 이직을 준비하
는 직장인들에게는 필수 애플리케이션이 있다. 바
로 가고자 하는 회사의 직원들이 직접 그 회사의 경
영진, 복리후생 등을 포함한 다양한 평가를 써놓은
'잡플래닛'이다.
　　5점 만점에 4점 이상의 높은 평가를 받은 회사
가 있는 반면, 2점 이하의 혹독한 평가를 받은 회사
도 많다. 점수뿐만 아니라 직원들이 이 회사의 장점
과 단점 등을 주관적으로 기술하고 1년 후에 이 회

사는 성장할 것인가에 대한 답변도 있다.

높은 평가를 받은 회사들의 직원 의견을 살펴보면 자유로운 연차 보장과 정시 퇴근을 통하여 직원의 여가를 중시해주는 분위기를 긍정적으로 평가한다. 또한 직원들이 만족할만한 복리후생, 이벤트 등을 통해서 이 조직과 직원이 회사에서 얼마나 중요한 존재인지에 대한 자존감을 높여주는 활동을 많이 한다.

그러나 낮은 평가를 받은 회사는 이와 정반대이다. 야근 문화의 관습화, 복리후생 전무, 개인의 의견을 낼 수 없는 군대식 문화 등이 자리 잡고 있는 경우가 많아 직원들 자체적으로 자신이 회사의 소모품이라는 인식을 갖고 있다.

애플리케이션을 훑어보다가 예상과 다르게 연봉이 평가에 그다지 큰 영향을 미치지 않는다는 사실을 발견했다. 그만큼 현대사회를 살아가는 근로자들은 경제적인 풍요로움보다 개인의 여가와 자신의 가치를 인정받는 것을 중요하게 생각한다.

인사총무팀에서 일하는 나로서는 이렇게 좋은

평판을 받은 회사를 보면 '인사총무팀이 회사와 근로자의 중간자로서 역할을 참 잘하고 있구나'라고 생각한다. 왜냐하면 경영진의 의지만으로 회사의 분위기가 좋아지는 것도 아니며, 직원들의 여러 가지 의견이 개진된다고 해서 백 퍼센트 다 받아들여지는 것도 아니기 때문이다. 결국 회사와 직원을 이어주는 인사총무팀의 조율과 소통 방법의 신중한 선택이 양쪽의 만족을 채워주는 열쇠라고 볼 수 있다.

우리 회사에는 익명건의함 제도가 있다. 화장실에 설치된 이 건의함을 일주일에 한 번 정도 열어보는데, 늘 두세 개 정도의 쪽지가 있다. 화장실에 탈취제를 설치해달라는 가벼운 요청에서부터 점심시간을 조금 늘려달라는 제도적 개선 요구가 있을 때도 있다.

이러한 요청을 받으면 우리 회사 인사총무팀은 제안사항을 어떻게 처리할 것인가에 대해 고민한다. 회사와 직원들이 받을 긍정적인 영향과 부정적인 영향, 그리고 예기치 못한 상황들의 발생 여부 등을 예상하고 정리하여 이를 경영진에게 보고한다. 이후 접수된 모든 상황에 대해 직원들이 모두 볼 수 있는 공개된 게시판에 인사총무팀과 경영진이 이 제안에 대해 어떻게 해결하였는지 또는 해결이 안 되었다면 그러한 정당한 이유가 무엇인지에 대해 피드백을 한다.

이처럼 인사총무팀은 회사와 근로자의 중간자로서 서로의 의견을 전달하고 조율하는 역할을 한다. 이를 얼마나 잘하느냐에 따라 직원들이 느끼는 회사의 평판은 달라질 수 있다.

인사총무팀이 경영진과 직원 사이에서 소통의 방식을 얼마나 신중하게 선택하는지도 중요하다. 최근 한 병원의 간호사들이 병원 측이 주최하는 행사에서 걸그룹 섹시 댄스를 단체로 연습하여 추는 영상이 공개되어 파문이 일었다. 이 병원의 간호사들은 근로시간이 아닌 때에 동원되어 자기 의지에 상관없이 춤을 선보여야 했다는 점과 과도한 노출을 한 점이 논란거리가 되었다.

병원 측에서 마련한 사내 행사의 취지는 근로자들에게 단합의 기회를 제공하고, 애사심과 소속감을 부여하자는 것이었을 것이다. 그러나 이를 진행하는 기획팀은 행사라는 콘텐츠 구성에만 집중하여 직원 개개인에게 고통을 주는 결과를 가져왔으며, 실제 행사의 취지는 살리지 못한 채 세간의 이슈만 남겼다. 경영진과 직원 사이에서 담당자가 취지를 이해하지 못하고 소통의 방식을 잘못 선택한 대표적인 사례이다.

그렇다면 직원들에게 애사심과 소속감을 부여해주는 소통 방식에는 무엇이 있을까? 한 기업의 인사총무팀은 신규 입사자의 부모님께 자신들에게 훌륭한 인재를 키워 보내주셔서 감사하다는 메시지와 꽃바구니를 보내는 행사를 기획하여 시행하고 있다. 나의 첫 직장에서는 직원의 배우자가 출산했을 경우, 배우자에게 꽃과 과일바구니를 전달해주었다. 이럴 때, 직원들은 자신을 비롯하여 자신의 가족들까지 신경 써주는 회사에 애사심을 느끼게 된다.

어느 IT기업의 경우 직급별로 차등을 두는 명절선물을 폐지하고 부서별로 재미있는 뽑기 이벤트로 명절선물을 나눠주는 행사를 진행한다. 이런 행사를 통해 직원은 일터에서 재미와 기쁨, 소속감 등을 동시에 느끼게 된다.

자, 이제 이 글을 읽는 당신에게 질문을 던지겠다. 당신은 회사와 직원의 중간자로서 어떤 역할을 하고 있는가? 너무 한 쪽에 치우쳐서 대변하고 있지는 않은지, 본질을 잃은 소통을 강요하지는 않았는지 자신을 돌아보고 스스로 답해보기 바란다.

아웃소싱의 양날

최근에 회사 임원분과 점심을 먹으면서 아웃소싱에 대한 이야기를 들었다.

"이대리, 내가 회사 다닐 때 처음 회계관리 ERP가 도입됐어요. 정말 신세계였지. 사람들은 그 기능에 감탄하며 이제 더는 힘들게 일할 필요가 없겠다고 생각했어요. 물론 정말 좋았죠. 그런데 1년쯤 지났나. 수기로 전표 작성하던 서무들이 그새 다 없어진 거예요. ERP가 다 해주니 이제 그런 업무를 하는 사람들이 필요가 없어진 거죠."

ERP 프로그램은 빠른 회계처리를 도와주고, 각종 세금 자동계산 등을 통해서 효율적으로 일할 수 있도록 하는 아주 고마운 프로그램이다. 수십 년 전, 기업들이 시간과 행정비용을 줄이기 위해 기업 내 ERP 프로그램을 도입했다면, 이제는 비용 절약 및 업무 전문성 등의 이유로 업무 자체를 아웃소싱 업체에 맡기는 추세이다.

회계는 세무사무소에서 대신 기장 처리를 해주며, 급여와 연말정산은 전문업체에서 관리해준다. 총무는 법무법인 및 수많은 렌탈 및 대리업체와 거래하고, 교육은 전문 온ㆍ오프라인업체를 이용한다. 아웃소싱 업체의 자리매김으로 기업의 인사총무팀은 예전보다 그 업무 범위나 인원수가 많이 줄었다.

회사 입장에서는 아웃소싱 업체를 이용하는 것이 매우 효율적이다. 그 업무에 투입되는 인력을 채용하지 않아 인건비가 절감된다. 게다가 이용료는 그 한 사람을 유지하는 월급보다 현저히 적다. 또 그 업체가 그 분야에 있어 수많은 업무를 수행해보았으니 우리가 가진 인력보다 훨씬 더 전문적이라는 점에서 신뢰가 간다.

담당자 입장에서도 굉장히 편하다. 전화 한 통으로 '이렇게 되었으니 처리해주세요'라고 아웃소싱 업체에 말하면 모든 커뮤니케이션이 끝남과 동시에 일이 완료되기 때문이다.

그러나 이렇게 일 처리를 하는 것은 담당자 자신에게 결코 좋은 것만은 아니다. 연말정산 업무로 한창 바쁠 때, 세법에 대해 궁금한 점이 생겨 같은 업무를 하는 친구에게 연락한 적이 있었다. 다른 중소기업에서 인사와 총무, 회계 그리고 영업관리까지 담당하는 나와 비슷한 시기에 입사한 친구였다. 친구에게 풀리지 않은 업무에 대해 물어보았지만 답을 듣지는 못했다. 세무사무소에 대리로 기장을 맡기고 있고, 연말정산에 대해서는 직원들이 자료를 모아주면 그대로 전달만 해서 관련 업무에 대해서 잘 모른다는 것이었다.

보통 연말정산 시즌이 되면 임직원들이 메일과 전화로 엄청난 양의 문의를 한다. 그래서 담당자는 관련 지식을 잘 알고 있어야지 대답할 수 있다. 그런데 그 친구는 임직원에게 질문을 받을 때마다 세무사무소에 전화하여 재차 질문한 뒤, 직원에게 다시 피드백해주는 식으로 일을 처리한다고 했다.

그로부터 얼마 후, 친구가 나에게 고민을 털어놓았다. 자신이 여태까지 일한 경력에 비해 할 수 있는 것이 없어서 미래에 대해 고민이 되고 이직도 어려울 것 같다는 생각이 들었다고 했다.

아웃소싱은 양날의 검이다. 당장은 업무를 빠르고 편리하게 처리할 수 있다. 하지만 자신의 경력을 아무것도 아니게 만들어버릴 수도 있다.

그렇다고 담당자의 경력을 위해서 아웃소싱 업체를 이용하지 않아야 할까? 앞에서 언급했듯이 회사는 효율적인 비용 절약 및 그 전문성을 신뢰하여 아웃소싱 업체를 이용한다. 시대의 흐름을 보면 우리는 이것을 막지 못할 것이다. 그렇다면 우리는 어떻게 해야 할까?

답은 하나다. 늘 궁금해하는 태도를 지녀야 한다. 답을 얻고 그에 대한 답을 내 것으로 만들어야 한다. 어찌 보면 너무나 당연한 말이다. 하지만 요즘은 당연한 것이 당연하지 않지 않게 여겨지는 것만 같아 아쉬운 마음이 든다.

이전에 나는 인사총무 담당자는 항상 '왜?' 라는 의문을 가지고 일해야 한다고 언급했다. 아웃소싱 업체를 이용하다 보면 다른 사람이 우리 업체의 세세한 일을 다 알아서 해주므로 이런 의문을 갖는 것 자체가 어렵다. 특히 이런 저런 일에 치이는 날에는 그저 아웃소싱 업체가 해주는 업무 결과를 받고 맞겠거니 하고 그냥 넘기기도 한다. 하지만 이런 태도로 업무에 임하면 언젠가는 중대한 업무 실수를 하게 될 것이다.

헤드헌터 업체를 통해 한 사람을 채용하고 급여 아웃소싱을 통해 첫 월급을 준다고 가정해보자. 먼저, 우리 회사의 분위기에 적응을 잘 할 수 있는 직원의 성격과 현업부서에서 필요한 인재의 자격요건 및 우대사항을 현업부서와의 많은 대화를 통해 알아야 한다. 적어도 해당 팀이 어떤 일을 하는지 알아야 한다.

그것을 토대로 헤드헌터 업체를 이용하여 인재

를 추천받았을 때는 그대로 받아들여 면접을 진행하는 것이 아니라 '이 인재가 정말 해당 부서가 제시한 기준에 제대로 부합하는가'를 생각하며 이력서 스크리닝을 하고 적절한 인재가 아니라고 생각한다면 재요청을 할 수 있어야 한다. 즉, 인사총무팀이라면 우리 회사에 도움이 될만한 적절한 인력이 현업부서에 배치될 수 있도록 검토 단계에서 확실히 판단해야 한다. (헤드헌터 업체의 채용 수수료는 일반적으로 채용 예정자 연봉의 10~15% 수준이다. 초봉을 5,000만 원으로 가정하면 채용 수수료만 해도 500만 원이 넘는다. 결코 적지 않는 비용이다.)

해당 직원이 채용이 되어 급여 아웃소싱 업체를 통해 첫 월급이 나간다고 했을 때는 어떻게 해야 할까? 외국인인지, 임원인지, 직원인지에 따라 4대보험 가입 자격이 모두 다르다. 이것이 올바르게 되었는지, 급여는 최저임금에 부합하면서 우리 회사의 연봉 테이블 등에 맞는지, 소득세는 국세청 간이세액표 기준에 맞게 잘 적용이 되었는지 등 하나하나 세심하게 검토해야 한다. 또한 연말정산 시에는 급여 아웃소싱 업체가 이전 회사의 소득까지 잘 반영하여 처리하였는지도 유심히 체크하여야 한다.

조심해야 할 점은 아웃소싱 업체를 너무 신뢰하면 안 된다는 것이다. 담당자라면 항상 이것이 맞는지 확인해야 하고 나름대로 검토 툴도 가지고 있어야 한다. 사실 나도 아웃소싱 업체를 많이 이용해봤지만, 그 업체의 담당자들도 실수를 안 하는 것은 아니다. 이 실수를 담당자가 빨리 발견해서 정정하면 사태는 금방 해결되지만, 늦게 발견하면 이미 그것이 눈덩이처럼 커져 오히려 두 번, 세 번 처리해야 할 수도 있다. 호미로 막을 것을 가래로 막는 격이다.

예전에 나도 아웃소싱 업체를 이용하면서 검토를 제대로 하지 않아 실수한 적이 있었다. 그때 회사 대표님에게 불려가 이런 질책을 받았는데 나는 대표님의 말이 매우 현실적이라고 생각한다.

"이주임, 이주임은 자료를 넘기기만 하는 사람은 아니잖아요. 우리가 경력자를 채용하는 이유가 뭘까요? 우리는 당신의 배경지식과 경험을 사는 겁니다. 검토도 없이 자료만 넘길 거면 우리는 신입을 쓰지 이주임을 쓰지 않아요."

그 옛날, ERP 프로그램이 도입되며 누군가는 환호를 질렀고, 누군가는 자신의 짐을 챙겨 회사를 나갔다. 자신이 환호를 지르는 사람일지 아니면 짐을 챙겨 회사를 나가는 사람일지는 자신이 어떻게 하느냐에 따라 다르다는 것을 명심하라.

나를 성장하게 하는 힘, 교육

──────────────────── 세상은 변하고 있습니다.

최근 근로기준법이 개정되었다. 더불어 민감한 노동 이슈에 관한 대법원 판결이 하나둘씩 결정되면서 기업들은 과거에 자신들이 설계한 규정과 제도를 다시 한번 검토하며 어떻게 대응해야 하는지 고심하고 있다.

이러한 제도적인 변화와 더불어 최근 직장인들 사이에서 일과 삶의 균형이라는 이른바 '워라밸'을 중시하는 문화가 점차 확산되고 있다. 시간적 여유

없이 야근하며 일에만 매달렸던 과거와는 달리, 이제는 일을 마치고 여가를 보내며 자신을 위한 시간을 갖는 것을 중요하게 생각하는 것이다. 따라서 과거의 기조에 머물러 있는 기업들은 기존 인력의 유지 및 새로운 인재의 영입이 점차 힘들어질 수 있다. 채용시장 역시 워라밸을 보장해주는 기업과 그렇지 않은 기업들의 양극화가 진행되고 있는 것이 현실이다.

이러한 변화를 감지한 공기업과 대기업들은 사내 규정 변경 및 야근 문화 없애기 운동 등을 벌써 시작하고 있다. 그러나 이와는 반대로 아직도 많은 중소기업은 관습화된 분위기와 제도 속에 머물러 있는 것이 사실이다. 아직도 고용노동부가 매년 발표하는 표준근로계약서조차 작성하지 않아 근로자와 회사 간의 갈등을 중재하고 있다는 뉴스를 보면 한국의 중소기업은 갈 길이 멀다고 생각하곤 한다.

이십 년 전만 해도 근로자들은 흔히 자신들을 '을'이라고 생각하고 회사에 헌신하였다. 최저임금, 근로시간 등 근로기준법을 회사가 지키지 않더라도 회사는 자신과 가족들의 생계를 보장해주는 경제주

체일뿐더러 정년까지 보장해주는 '회사님'으로 추앙받았기 때문이다.

그러나 IMF 사태가 터지면서 상황은 많이 달라졌다. 이제는 을도 을 나름대로 각자도생을 해야 하는 시대가 온 것이다. 그래서 오늘날, 근로자들은 자기 권리에 관한 많은 것을 궁금해한다. 회사에서 하는 말을 곧이곧대로 믿는 수동적인 태도에서 벗어나 인터넷에서 정보를 직접 찾아보거나 노무사를 통한 상담을 하면서 자신의 몫을 정정당당하게 찾고 있다. 그러나 시대가 이렇게 변하는지도 모르고 근로계약서조차 작성하지 않는 중소기업이 있다는 사실에 중소기업 인사총무팀에 종사하는 담당자로서 안타까운 일이 아닐 수 없다.

결론은 이렇다. 정부의 기업규제 강화, 근로자들의 정보 접근성 증가, 워라밸의 중시로 인한 채용시장의 양극화 등으로 인해 이제 중소기업은 변화해야만 살아남을 수 있다. 그리고 인사총무팀은 그 변화의 선두에 서야 하는 팀이다.

채용면접에서 최종 합격을 한 신입 친구들과 대화를 해보면 놀랄 때가 많다. 궁금한 것이 있으면 적극적으로 물어본다. 최근에 어떻게 근로기준법이 개정되었는지 정확하게 알고 있으며 자신이 다닐 회사에서도 적용되는지 재차 확인하는 경우도 많다.

나는 이러한 경우에 우리 회사는 언제나 적법한 제도를 운영하고 있다고 자신 있는 척 대답하지만, 속으로는 변화되는 제도를 미리 알고 얼마 전 업데이트를 한 것에 대해 안심하며 가슴을 쓸어내리는 경우가 많다. 이와 더불어 요즘에는 회사의 재직 중인 직원들도 근거법령을 찾아서 인사총무팀에 방문하여 회사의 복리후생 개선을 요구하는 경우도 종종 있다. 그래서 언제나 공부를 게을리하면 안되겠다는 생각을 한다.

인사총무팀은 회사의 구성원 누구보다도 변화를 빠르게 감지하고 그에 대한 대응 방안을 마련해야 하는 팀이다. 그러한 능력을 키우기 위해서 가장 좋은 방법은 외부 교육을 많이 듣는 것이다. 나는 중소기업 인사총무팀에 재직하면서 교육을 듣는 것을 게을리하지 않았다. 인사세무, 커뮤니케이션, 노동정책, 총무 업무, 회계 등 몇 년 동안 다양한 교육을 이수하였다.

이유는 간단하다. 나는 그 분야의 전문가가 아니기 때문이다. 물론 요즘은 굳이 교육을 듣지 않아도 인터넷에서도 좋은 자료들을 많이 찾을 수 있다. 그러나 인터넷에서 자료를 찾아 자의적으로 해석하여 펼치는 정책은 오류를 범할 가능성이 높다.

반면, 해당 분야의 전문가에게 찾아가 직접 듣는 교육은 그러한 오류를 최소화하여 우리 조직이 기존 제도에서 개선해야 할 부분, 우리 조직에 새로 적용해야 할 부분 등을 정확히 판단하도록 도와준다. 그리고 항상 새로운 정보의 변화로부터 준비되어 있기에 어떤 문제에도 차분히 대응할 수 있는 역량을 가지게 된다. 혹시 이러한 노력도 하지 않은 채 입사 당시와 같은 복지정책, 노동정책, 사무환경이 현재 그대로 유지하고 있거나 오히려 후퇴했다면 반성해야 한다.

외부 교육을 한마디로 정리하면 '자극'이다. 급변하는 산업사회 속에서 정체된 중소기업 문화 및 정책을 움직이게 하는 자극 말이다. 그것을 움직일 수 있는 사람은 중소기업 인사총무 담당자 자신뿐임을 잊지 말자.

시도하는 그대는 아름답다.

중소기업 인사총무팀은 회사의 조직문화 및 복리후생을 포함해 다양한 분야에 변화를 줄 수 있는 중심부서이다. 그러나 이러한 분야에서 새로운 것을 시도하려고 해봐도 경영진의 의지가 없을 때는 그 시도 자체가 실패하는 경우가 많다. 특히, 오너 또는 경영진이 인사총무 출신이 아닐 경우에는 더욱더 그렇다. 이렇게 되면 인사총무팀은 점점 새로운 일을 시도한다는 것 자체에 의욕을 잃게 되고, 늘 하던 일만 하게 된다. 시간이 지나면 조직의 문화는 점점 경직되고 직원들에게 지원되는 복리후생의 범위도 점점 좁아져 직원 만족도 역시 크게 떨어진다.

앞서 언급하였듯이 요즘에는 기업의 조직문화 및 각종 제도와 관련하여 내부 직원들이 허심탄회하게 이야기하는 사이트들이 많아졌다. 이러한 정보를 통해 해당 기업의 문화를 간접적으로 접하게 되고 회사를 판단한다. 또한 자신의 여가와 가치를 인정해주는 곳을 선호한다. 기본적으로 보상과 즐거움이 없는 일터에서 자신을 헌신할 의지가 없으므로 채용시장에서 이런 회사는 외면당하고, 입사한다고 하더라도 오래 다니지 않을 가능성이 크다. 변화하지 않는 회사에는 새로운 인재가 들어오기 어렵다. 그래서 경직된 조직문화를 가지고 있으면서 변화에 무딘 회사는 장기근속자들만 많은 기형적인 인력 구조를 보이기도 한다.

하지만 이런 사태에 대해 인사총무팀이 경영진이 이러한 것에 무관심하다는 이유만으로 그 책임을 돌린다면 책임회피가 아닐까 싶다. 묻고 싶다. 인사총무 담당자는 경영진의 의사나 태도를 바꾸려고

한 번이라도 시도해보았는가?

　주식회사 팝컨설팅 대표이사 김남민 경영지도사는 상사를 성장시키는 일도 하급자의 몫이라고 말한다. 그는 한 전자 회사에서 총무직으로 커리어를 시작하였다. 처음엔 직원들에게 피복을 나눠주는 일만 하였다. 그러다가 점차 인사교육 분야에 관심이 생겼고 대학원에 진학하였다. 그 후, 논문을 작성하여 경영진과 다른 직원들에게 일부러 검토를 부탁하여 자신의 가치를 인정받았을 뿐만 아니라 이후 직원 한 사람 한 사람의 역량 발전을 위한 회사의 교육정책이 얼마나 회사에 중요한지 설득에 성공하여 기업 내 존경받는 인사팀장이 되었다.

　만약 그가 경영진이 교육정책에 관심이 없다고 해서 수십 년 전 피복을 나눠주는 총무로만 커리어를 마감했다면 회사로서는 이 얼마나 큰 손실인가? 이는 본인도 성장하면서 경영진도 함께 성장을 시킨 대표적인 사례이다. 그렇다면 김남민 대표는 대학원을 나왔기 때문에, 혹은 운이 좋아서 경영진을 설득할 수 있었을까? 아니다. 답은 CEO 마음속 깊은 저

변에 있는 생각을 읽었기 때문이다.

당신이 중소기업의 CEO라고 가정해보자. 회사를 운영하면서 가장 중요하게 생각하는 부분은 회사의 매출이겠지만, 자신의 기업을 위해 성실하게 일하는 직원에게 언제나 무엇인가 보상해주고 싶은 마음도 적지 않을 것이다.

그렇다면 인사총무팀원으로서 당신이 이 시점에서 해야 할 일은 무엇인가? 바로 영업에만 몰두하고 있는 경영진에게 다른 회사에서는 조직문화나 복리후생에 어떤 변화를 시도하고 있는지 그 소식을 간접적으로 전달해주는 것이다. 또한 거창하지는 않지만 소소한 지원이라도 직원들이 행복해할 수 있다는 생각에 확신을 주는 것이다.

이를 위한 첫 번째 방법은 일주일에 한 번, 경영진을 대상으로 인사총무 동향이 담긴 뉴스페이퍼를 메일로 보내는 것이다. 경영진은 하루 종일 영업 및 매출과 관련한 숫자에 둘러싸여 있다. 그러나 인사총무팀이 보내는 이러한 메일은 경영진들에게 또다른 숙제가 아닌 머리를 식힐 수 있는 자료로서 그

기능을 할 수 있다. 이러한 뉴스는 자신들도 모르게 인사총무에 대한 관심이 생기게 만든다. 나아가, 경영진은 이 메일을 보낸 인사총무팀에 눈길이 한 번씩 더 갈 수밖에 없다.

두 번째, 경영진들에게 소소한 개선이라도 직원들에게는 확실한 행복으로 다가온다는 것을 확신시키자. 앞서 말했듯이 경영진들은 복리후생 자체를 큰 비용이 드는 것으로 생각하는 경향이 있다. 그러나 이러한 고정관념을 깨주는 것도 인사총무팀의 역할이다. 이를 위해서는 경영진을 객관적인 자료로 설득하는 작업이 필요하다.

우리 회사는 탕비실에 자동 커피머신기가 없었다. 작은 드립기를 이용했는데, 어떤 커피 원두를 갖다 놓아도 시간이 지나면 맛이 안 좋아져서 늘 직원들은 불만으로 가득했다. 이런 불만을 접한 나는 드립기를 자동 커피머신기로 교체하면 어떨까 하는 생각을 했다. 하지만 지금보다 유지비용이 더 들어갈 수 있다는 생각에 걱정도 됐다.

그래도 결과는 자로 재봐야 안다고 했다. 나는

작년과 재작년에 우리 회사가 커피 때문에 소비한 모든 비용을 산출해보았다. 손님이 올 경우 소비한 외부 커피 비용도 함께 포함하였다. 그랬더니 현재 쓰고 있는 드립기가 자동 커피머신기보다 효율이 현저히 낮았다.

나는 품의서에 이 커피머신기를 탕비실에 둘 경우 이러한 비용을 절약할 수 있으며 손님이 오면 따로 카페에서 커피를 살 필요가 없고, 직원들도 신선한 커피를 매번 맛볼 수 있다는 점을 작성했다.

이후, 탕비실에 커피머신기가 들어왔으며 직원들이 정말 행복해하는 모습을 보곤 큰 성취감을 느꼈다. 며칠 후, 대표님을 탕비실에서 만나게 되었는데 나에게 한마디를 해주셨다.

"이대리, 직원들이 이 기계를 아주 좋아하는 것 같아. 잘 했어."

어떻게 보면 아무것도 아닌 일 같지만 이런 작은 것으로도 경영관리팀은 직원들과 경영진을 만족시킬 수 있다.

세 번째, 회식은 인사총무팀에게는 절호의 기회

이다. 나는 몇 년간 인사총무팀에서 근무하면서 굵직굵직한 개선사항을 이뤄내고 싶지만 어떻게 제안해야 할지 모르겠을 때는 회식 자리를 이용했다.

회식 자리는 직원들이 단합하는 자리이기도 하지만, 경영진과 직원들이 공적인 사무공간에서 이루어지는 커뮤니케이션과 다른 스타일로 소통 할 수 있는 기회이기도 하다. 회식 자리에서는 술이 몇 잔 들어가기도 하고 시끌벅적한 분위기에 취하기도 하는 자리이기 때문에 경영진은 평소보다 편한 분위기로 상대방을 이해한다.

나는 회식에서 주어지는 기회를 놓치지 않는다. 직원들이 평소에 원하던 복리후생이나 개선사항을 경영진에게 슬쩍 말하여 필요한 이유를 어필한다. 의외로 그런 제안을 하면 경영진들은 '그런 이야기를 왜 이제야 했나요. 이대리! 한번 검토해보고 품의 올려보세요' 라고 말하며 생각보다 쉽게 제안사항을 받아주는 경우가 있다. 너무 쉽게 허락해서 괜히 오랫동안 고민한 것 같아 허탈했던 적도 제법 있다.

사실 아무리 경영진과 직원으로 나뉜다고 하

더라도 회식 자리에서는 이 경계가 평소보다는 느슨해진다. 그래서 이때는 조직 간에 허심탄회한 이야기라든지 평소에 개선되었으면 하는 사항을 이야기하면 조금 더 직급을 내려놓고 그 사람의 상황을 이해하게 되니 이런 기회를 놓치지 말고 용기를 내어 커뮤니케이션을 시도해보길 바란다.

지금까지 경영진을 성장시키고, 조직을 발전시키기 위해 인사총무팀이 해야 할 일과 개선을 이루는 소소한 팁 등을 알아보았다. 인사총무 영역에 관심이 없는 경영진에게 뉴스페이퍼 보내기, 소소한 것이라도 조금씩 개선을 시도해보기, 회식을 이용하여 커뮤니케이션 시도하기 등 아주 작다고 느낄 수 있겠지만 모든 변화는 작은 것부터 시작한다. 조금씩 그 변화를 마주하다 보면 어느새 인정받는 인사총무가 될 수 있다고 확신한다. 시도하는 그대는 아름답다. 시도하라, 그대여!

Chapter 3.

오늘의 인사총무, 깨달음

중소기업 인사총무팀의 R&R,
그것이 알고 싶다.

    나는 중소기업에서 인사총무 담당자로 재직하면서 입사 1~2년 차 무렵에 '업무 범위는 어디까지인가?' 라는 의문이 들었다. 총무 일을 하다 보면 어디서부터 어디까지가 총무의 영역인지 판단하기가 쉽지 않다. 또 업무라고 하기에는 애매한 잡일로 느껴지는 일도 매우 많아 자연히 '이것이 과연 나의 업무일까?' 라고 생각했던 적이 많았다. 이렇게 늘 불만을 품은 채로 일을 하다 보니 '이 일을 영업팀이 하겠어, 재무관리팀이 하겠어? 아무도 하는 사람이 없으니 내가 하는 거지 뭐…', '그래도 이 일을 내가 왜 하는지 모르겠어'라고 느끼며 업무에 대해 부정적으로 생각하고 의욕 없이 일했던 기억이 난다.

기업의 규모가 크면 클수록 총무의 영역도 자산관리팀, 전산팀, 부동산관리팀, 법무팀 등으로 세분화, 전문화되어 운영된다. 그러나 반대로 그 규모가 작아질수록 팀의 이름은 '총무팀'으로 총칭되어 어디서부터 어디까지인지 모르는 업무를 수행하는 경우가 많다. 누군가는 이를 두고 '다른 팀들이 하지 않는 일들의 나머지 일은 모두 총무의 일'이라고 하기도 한다.

이러한 업무 성격 탓에 어떤 업무는 매일 밥 먹듯이 처리하여 손에 익기도 하지만 어떤 일은 몇 년에 한 번씩 처리하기 때문에 난항을 겪기도 한다. 예기치 못한 사고가 터졌을 경우 처음 겪는 일이라 하더라도 침착하게 업무를 수행해 나가야 하는 경우도 많다.

한번은 이런 일이 있었다. 우리 회사는 영업부

직원들이 외근을 나갈 때마다 차량에 주유를 할 수 있도록 인근 주유소와 법인 계약을 맺었다. 그러나 언젠가부터 회사에서 지출하는 주유비가 급격하게 늘어나기 시작했다. 이를 이상하게 여긴 총무 담당자는 장부에 적혀진 주유 시간을 확인하여 주유소 안에 설치된 CCTV를 돌려보았고 실제 주유 여부를 대조하기 시작했다. 그리고 놀랍게도 주유소 직원이 허위로 장부를 작성하는 장면을 보고 말았다.

총무 담당자는 문제를 인지하고 이 사태를 해결하기 위해 경찰서와 주유소를 여기저기 돌아다니며 힘들게 처리를 해나갔다. 총무 담당자는 처음 맞닥뜨리는 상황에서 관련 지식이 없어 고군분투 하였고, 옆에서 동료를 지켜보는 나 역시 꽤나 안타까워했던 기억이 난다. 만약 법무팀이 있었다면 법무팀이 나서서 이를 해결하려고 애썼겠지만, 이렇듯 보통 중소규모의 회사에서는 인사총무팀이 법무 업무까지 모두 컨트롤해야 한다.

총무 담당자의 업무 범위를 의심하는 순간은 갑작스러운 사고 발생 상황 이외에도 회사 내 잡일을 수행할 때 찾아오기도 한다. 약속이나 한 듯 하루에 하나씩 수명을 다하는 전등을 갈아야 하는 일은 기본이고 직원들이 못 볼 것을 본 사람처럼 하얗게 질려 뛰어오며 인사총무팀에 손을 뻗쳐 급하게 하는 말은 분명 '4… 4층 변기가 막혔어요! 대리님!' 일 것이다. 그들이 나를 찾아오는 이유는 내가 '뚫어뻥'처럼 생겨서 그런 것이 아니다. 이 회사에서는 암묵적으로 화장실 처리를 담당하는 부서를 인사총무팀이라고 인식하기 때문이다. 지금쯤 이 글을 읽는 수많은 인사총무팀 직원들이 고개를 끄덕이지 않을까 예상한다.

그렇다면 대체 어디서 어디까지가 총무의 업무 범위일까? 기업에는 영업, 회계, 개발 등 다양한 조직의 역할 및 책임이라고 불리는 R&R(Role & Responsibilities)이 존재한다. 보통 회사 내에서는 이것을 직제규정으로 정확히 명문화하고 있어 우리 조직의 업무 범위가 어디까지일까를 알고 싶으면 이 규정을 찾아보면 된다.

그러나 보통 이 규정에서 총무팀의 파트를 잘

살펴보면 총무의 핵심 업무는 자세히 기술되어 있지만 갑작스럽게 일어나는 예상치 못한 업무 및 기타 잡일은 기술되어 있지 않다. 그래서 '기타 총무 업무'로 끝맺음 될 때가 많다. 그러니 총무의 업무가 대체 어디까지일까 하는 생각이 자연히 들 수밖에 없는데 규정에도 없으니 이에 대한 답을 얻을 곳도 없다.

예를 들어 재무 회계팀의 R&R은 예산계획 수립, 회계, 자금 출납, 세무조사 대응 등 회사의 자금과 관련한 영역에서만 처리한다는 사실이 확실하다. 반면 총무의 경우 자산관리, 계약관리 등의 확실한 업무영역만 기재되어 있다. 회사 곳곳에서 일어나는 작은 일에서부터, 어떤 부서에 배정해야 할지 모르는 새로 생긴 업무 등은 일단 규정에 없어도 우선 총무의 일로 배정된다.

중소기업 인사총무 담당자들은 바로 이러한 상황에서 직무 자존감이 많이 떨어진다. 실제로 인사총무 담당자 커뮤니티 게시판에는 심심치 않게 앞선 사항에 대한 고민으로 '중소기업 인사총무 업무, 비전이 있을까요?' 라는 질문이 꽤 많이 올라온다.

그러나 나는 이러한 고민을 가진 이들에게 사신의 부서를 역할의 개념으로 봐야 한다고 조언하고 싶다. 1인 사업가가 회사를 설립하고 운영한다고 가정해보자. 오너는 모든 것을 다 처리해야 한다. 말 그대로 그가 오너이자 총무다. 매출관리를 해야 하며, 영업도 직접 발로 뛰어야 하고 사소한 사무용품 구매까지 모두 오너가 직접 해야 한다. 그러나 시간이 지나고 점점 매출이 증가하여 기업 규모가 혼자 감당할 수 없을 정도로 커지면 영업부를 만들어 영업의 범위는 그 부서에 할당하고, 재무팀을 만들어 자금관리의 권한을 줄 것이다. 그러나 그 외의 영역은 다시 총무로 남는다. 이런 상황을 두고 총무에 대해서 누군가는 이렇게 말한다.

"총무는 사업을 시작하는 최초의 부서이고 끝에 남아 사업을 정리하고 나오는 최후의 부서다. 총무라는 부서의 이름을 없애더라도 결국 남는 게 총무다."

이러한 관점에서 보면 총무는 잡일을 하는 사람이 맞다. 또, 회사가 예기치 못한 상황에 직면했을 때 중요한 사건을 해결하는 해결사도 되어야 한다. 그것이 그들의 역할이다. 그리고 그 역할을 본인이 어떻게 하느냐에 따라 회사에 없어서는 안 될 사람이 될 수도, 아니면 누구든지 대체 가능한 사람이 될 수도 있다. 비전은 어떤 직무에서 얻는 것이 아니라 자신이 어떻게 하느냐에 따라 찾아온다.

제도를 설계할 때 이것만은 생각해주세요.

작은 기업에서는 제도의 규정이나 가이드 없이 오직 오너의 판단에 의해서만 의사결정을 한다. 구성원의 수가 적기 때문에 오너가 독단적이나 비합리적인 결정만 하지 않는다면 충분히 그 취지에 대해서 이해할 수 있기 때문이다. 또, 예기치 못한 상황이 발생하더라도 빠른 대처가 가능하다.

그런데 기업의 규모가 커지면 구성원 중 다양한 이해관계자들이 의사결정자의 입장이 되고, 그들이 의사결정을 내렸다 하더라도 다른 구성원들을 설득할 수 있는 장치가 필요하다. 그래서 회사는 그 장치로서 제도와 그에 따른 규정이나 프로세스를 합리적으로 마련하려고 한다. 이는 예기치 못한 상황이 발생하더라도 매뉴얼에 따른 대처가 가능하게 해준다.

그러나 문제는 기업의 규모는 커졌으나 제도를 비롯한 시스템이 따라오지 못해 회사의 의사결정이 주먹구구식으로 되는 경우이다. 실제로 많은 인사담당자가 직원에게 '우리는 따로 규정은 없고 예전부터 그렇게 했어요'라고 하는 경우를 많이 보았을 것이다.

이럴 때, 구성원들은 회사가 하는 모든 것들이 체계적이지 못하다고 생각하며 회사가 내리는 의사결정이나 펼치는 정책들을 모두 비합리적이라고 판단하고 거부감을 느끼게 된다.

다시 말해 체계적인 회사란 제도와 그에 따른 규정이 마련된 회사이다. 특히 규정 안에는 이 제도를 왜 시행하는지에 대한 취지가 나와 있어 제도를 시행하는 데 구성원들을 설득하기 용이하고, 특정한 상황이 발생하였을 때 어떠한 방안을 적용해야 하는지에 대한 합리적인 기준을 마련해주는 장치로도 사용된다. 그래서 기업에는 많은 제도가 있다. 그러나 기업의 정책과 환경에 따라 각기 다른 제도를 만들기 때문에 어떤 기업에는 있는 제도가 어떤 기업에는 없을 수도 있다. 그러나 그 어떤 제도라도 설계 단계에서 인사총무 담당자는 다음의 사항을 공통으로 고려해야 한다.

첫 번째, 합리적인 기준을 제시할 수 있는 제도의 기능을 하여야 한다. 앞서 말했듯이 제도를 설계하고 규정을 제정하는 이유는 그 제도의 취지를 구성원들에게 설득하고 이해시키기 위함과 특정한 상황이 발생하였을 때 합리적인 방향을 가리키기 위함이기도 하다.

회사의 구성원들은 어떤 의사결정을 두고 고심을 하는 경우가 많다. 이런 경우 작은 규모의 회사는 오너가 의사결정 과정에 적극적으로 개입하여 도움을 준다. 하지만 규모가 큰 회사의 경우에는 제도에 따라 결정한다. 전결 과정에서부터 인사 평가의 방법 등 구성원이 알맞은 절차를 지키고 올바른 판단을 할 수 있게끔 합리적인 기준을 제시한다.

따라서 제도를 설계할 때는 누가 봐도 객관적이고 합리적인 기준을 적용하여야 한다. 인사총무팀은 이 과정에서 다양한 측면에서 고려하고 세심하게 검토해야 한다. 제도를 설계하는 단계에서 이런 노력이 생략된다면 일방적이거나 유명무실한 제도가 설계될 수 있다. 이런 불상사를 막기 위해서는 다양한 이해관계자들 입장을 고려해보아야 한다.

두 번째, 우리 회사 구성원들에게 필요한 제도를 만들어야 한다. 예전에 내가 일하던 회사에서는 교육 제도가 있었다. 매년 교육의 범위에 상관없이 50시간을 이수해야 했고, 이를 이수하지 못하면 인사평가에 불이익을 받는 구조였다.

그러나 의류 OEM만을 취급하는 직원들의 직무가 전문분야이고 인력시장도 작은 탓에 관련 교육이 전무했다. 게다가 온라인 전문 교육 또한 찾아볼 수 없었다. 결국 직원들은 직무와는 관련 없는 다른 온라인 교육을 틀어놓고 근무시간에 재생만 누르면서 이수를 받거나, 주말에 피아노 교육 등을 들어 교육확인증을 내는 상황까지 이르렀다. 참다못한 직원들은 바쁜 업무시간에 교육까지 들어야 한다는 부담감을 토로했고 교육 제도는 역사 속으로 사라졌다.

만약 인재육성 차원에서 이 제도를 설계한 것이라면 우리 회사에 맞는 교육 시장환경을 먼저 파악했어야 했다. 직원들에게 필요한 교육이 무엇인지 설문조사 등을 통해 알맞은 지원을 해야 했다. 또, 직원들 간의 정보공유를 위한 세미나 등의 개최로 교육 시간 이수를 인정할 수 있었다면 좀 더 유익한 제도가 되지 않았을까 하는 아쉬움이 남는다. 이처럼 어떠한 제도를 만들 때는 과연 이것이 우리 직원들에게 진정으로 필요한 것인가를 생각해야 한다.

세 번째, 다른 회사의 자료는 참고만 해야 한다. 인사총무를 하는 담당자 중에 제도나 그에 따른 규정을 설계하는 업무를 유독 힘들어하는 담당자들이 있다. 보통 이럴 때 서식 사이트에서 업로드된 규정을 다운받거나 인터넷에서 검색되는 자료를 아무런 검토 없이 자사의 규정으로 이름만 바꾸어 사용하는 경우가 있다. 그러한 자료를 참고하는 것은 좋다. 그러나 이런 자료 중에는 십 년이 넘은 꽤 오래된 자료들도 많고, 우리 회사의 환경과는 맞지 않는 자료도 있으니 반드시 우리 회사에 맞는지 검토과정을 거쳐야 한다.

예를 들어 복장 규정을 신설한다고 가정해보자. 그렇다면 먼저 우리 회사가 복장 규정을 신설하는 취지가 무엇인지, 우리 회사의 기존 분위기는 어떻게 개선되어야 하는지를 파악하여야 한다. 그러한 과정이 없이 인터넷에서 돌아다니는 자료를 그대로 가져와 우리 회사에 적용한다면 업무환경에 맞지도 않는 옷을 입어야 하는 직원들은 불만이 터질 수밖에 없다.

네 번째, 적법한 제도를 설계하여야 한다. 사실 요즘같이 구성원들이 인터넷에서 정보를 쉽게 찾아볼 수 있는 시대에 적법하지 않은 제도를 대놓고 만드는 회사는 그리 많지 않다. 그러나 자주 바뀌는 근로기준법 등을 모르고 제때 반영하지 않은 채로 제도를 설계하는 경우가 많다.

특히 근로기준법, 세법 등과 관련한 규정의 경우 근로감독이나 세무조사로 인하여 잘못된 사항을 인지하는 경우가 많으므로 인사총무 담당자는 항상 변경된 법이 어떤 것이 있고 우리 회사에는 어떤 영향을 미칠지 생각하는 준비된 자세를 가져야 한다.

진실의 순간, 채용

마케팅 기법 중에 MOT(Moment Of Truth)라는 용어가 있다. MOT는 투우에서 투우사와 소가 일대일로 대결하는 최후의 순간 또는 결정적 순간을 의미한다. 소비자와 접촉하는 극히 짧은 시간이 제품과 기업에 대한 인상을 좌우하는 중요한 순간이라는 것을 강조하는 뜻에서 'MOT 마케팅'이란 명칭이 붙었다. 마케팅 용어이긴 하지만 나는 담당자가 인사 업무를 하며 내·외부 고객을 만나는 모든 순간이 우리 기업의 인상을 좌우하는 MOT라고 생각한다.

특히 채용 업무는 우리 회사의 미래를 보고 자신의 능력과 시간을 투자하려는 지원자(외부 고객)와 현업부서 담당자(내부 고객)가 만나는 일련의 과정이다. 그래서 인사 담당자가 채용 단계에서 적절하게 대응하지 못하거나, 예상치 못한 실수를 저지르면 내·외부 고객 모두를 만족시키지 못해 우리 기업과 인사총무팀의 이미지를 동시에 실추시키는 처참한 결과를 얻게 된다.

예전에 신입사원 채용을 할 때 예상치 못한 실수를 한 적이 있었다. 다른 부서에서 신입사원을 채용하기 위해서 면접까지 모두 끝내고 최종 입사자를 통보해달라고 부탁한 상태였다. 나는 최종 합격자에게 전화하여 최종 합격을 통보하였는데 개인 사정으로 우리 회사에 출근하지 못한다는 것이 아닌가? 그 순간 식은땀이 흘렀다. 이미 탈락자에게 불합격 통보 문자를 보냈기 때문이다. 현업부서는 그 사실을 알고 2순위 합격자가 입사하지 않을까 노심초사했고, 인사총무팀 직원들 또한 내가 저지른 실수에 어떻게 대처해야 할지 고민하며 상당히 곤욕스러워했다. 다행히 2순위 합격자에게 죄송하다는 사과와 함께 재합격통지를 보내서 해결은 되었다. 하지만 나의 실수로 인해 채용 절차가 엉켜버린 사실은 변함이 없었다. 그날, 나는 이 사실을 알게 된 대표님과 면담을 하게 되었다. 그리고 대표님은 차분하게 나에게 이러한 말씀을 해주셨다.

"이사원, 일한 지 벌써 1년이 지났네요. 어떻게 보면 이런 일은 그냥 2순위 지원자에게 솔직히 사실을 알리고 재통보를 해주면 그만일 수도 있어요. 그렇지만 이사원, 그 소식을 들은 지원자의 마음을 생각해보길 바랍니다."

"그에게는 우리 회사가 대학을 졸업하고 처음 합격 통보를 받은 곳이겠죠. 이왕이면 회사가 자신의 가능성을 알아보고 입사를 먼저 제안했다면 좋았을 텐데, 누군가 이 자리를 거절하였기 때문에 자신에게 입사 제안이 왔다는 사실을 알게 된다면 어떤 마음일까요?"

"이사원이 처음 회사를 입사했던 그 느낌, 그도

아마 똑같을 겁니다. 늘 누군가의 마음을 생각하면서 일을 해주세요. 앞으로 잘하리라 믿습니다."

당시 나는 채용 업무를 할 때, 어떠한 긴장감도 없었다. 그저 대충 처리하면 된다는 마음으로 임했던 것이 사실이었고 현업부서와 지원자들의 마음을 모두 헤아리지 않고 업무적으로만 대했다. 어쩌면 그러한 태도가 이러한 사태를 키운 것이라는 생각도 든다.

진실의 순간, 어떻게 보면 참 어렵게 느껴지는 마케팅 용어이지만 간단히 생각하면 진심이라는 단어로 바꿀 수 있다. 그 진심을 다시 '그 사람의 입장에서 생각해보는 일'이라고 바꾸어 말할 수 있지 않을까? 지원자와 현업부서의 입장에서 진심을 헤아리는 진실의 순간. 그것이 바로 채용이다.

건강하지 못한 인사평가 제도는
조직을 망친다.

　　나는 건강하지 못한 인사평가 제도가 조직을 서서히 병들게 한다고 생각한다. 대다수의 기업에서 시행하는 인사평가 제도는 언뜻 보면 굉장히 합리적이고 견고하게 설계된 것처럼 보인다. 우리 회사 직원이 교육을 얼마나 잘 이수했는지, 근태를 얼마나 잘 지켰는지, 팀장과 임원들이 생각하는 그의 업무 수행능력과 태도는 어떠한지 등에 대해 다각적인 검토를 통해 한 해의 결과치가 나오도록 설계되어있다. 그리고 결과치는 직원의 연봉과 승진에 대한 판단을 좌우한다. 그러나 이렇듯 견고하고 합리적으로 설계되어 있는 것 같은 인사평가 제도를 찬찬히 살펴보면 의외로 비합리적이고 객관적이지 않은 제도도 상당히 많다.

　A 회사의 사례를 살펴보자. A 회사의 인사평가 제도는 교육이수 항목과 근태 항목이 평가 항목 중에 하나로 구성되어 있다. 교육이수 항목에서 A등급을 받으려면 직원들은 한 해에 50시간의 교육을 이수해야 한다. 또, 근태 항목에서 A등급을 받으려면 지각과 결석이 1회도 없어야 가능하다. 그리고 나머지는 팀장과 임원의 평가로 이루어지는데 이렇게 보면 자기계발을 꾸준히 하는 성실한 직원, 성과가 좋은 직원이 당연히 A등급을 받는 것처럼 보인다.

　그러나 속사정을 살펴보면 다르다. A 회사의 교육 제도는 시간만 정해져 있을 뿐 정해진 직무 교육도, 직급별 교육도 없다. 좋게 말해서 직원들의 자율적인 자기계발을 지향한다고는 하지만 직원들은 평소 이 교육 제도가 왜 시행되는지 그 취지를 전혀 모른다. 그래서 인사평가를 잘 받기 위해 시간만 채

우기 급급한 행태를 보인다. A 회사가 시행하는 근태 제도 또한 마찬가지다. 근태가 인사평가에 영향을 준다는 것을 아는 직원들은 지각하였을 경우 지각기록을 남기지 않기 위해 자신의 휴가를 소진하면서까지 지각기록을 없애려 노력한다.

팀장과 임원의 평가방식은 어떠할까? A 회사는 별도의 평가자 교육을 하지 않는다. 팀원과 임원에게 주어지는 팀원 평가지에는 몇 가지 항목의 질문이 있는데, 이를 읽고 별다른 기준 없이 점수를 매기면 된다. 그래서 이곳의 팀장들은 가끔 고민한다. 일은 정말 잘하지만, 개인주의인 직원과 팀장에게 잘하는 부하직원이면서 성과가 없는 직원 중 누구에게 A등급을 줄지 말이다. 절대평가라면 모두 A등급을 주어도 상관없지만 상대평가라 이마저도 어렵다.

이번엔 임원의 평가를 살펴보자. 평소 임원은 이 직원과 이야기를 나누고 함께 일을 수행해본 경험이 많지 않다. 그래서 임원은 팀장이 미리 작성해놓은 1차 평가지를 보고 비슷한 평가를 한다. 즉, 임원은 각자의 상황에 따라 주관적인 판단, 넘겨짚기 식의 판단을 할 수밖에 없다.

 A 회사는 교육 제도가 잘못되었을까, 인사평가 제도가 잘못되었을까? 독자는 둘 중 어떤 것이 잘못되었다고 생각하는가? 나는 두 제도 모두 잘못되었다고 생각한다. A 회사의 교육 제도와 인사평가 제도, 그리고 이에 영향을 받는 승진과 연봉인상 제도 모두 그 제도의 진짜 취지는 사라진 채 제도를 위한 제도로서만 기능하고 있다. 즉, 직원들의 연봉인상 및 승진사항을 결정하기 위해 인사평가 제도가 필요하고, 인사평가 제도를 시행하기 위해서 교육 제도를 시행하는 제도를 위한 제도인 셈이다. 이 과정에서 직원들뿐만 아니라 평가를 해야 하는 팀장과 임원 모두가 고통을 받게 된다.

 건강하지 못한 제도는 조직을 서서히 병들게 만든다. 자기계발, 성실함 등 회사가 명목적으로 추구하는 가치는 버려진 채 가짜 교육 이수증과 가짜 근태가 회사를 가득 채운다.

 뚜렷한 기준 없이 평가하는 방식은 직원에게 이 평가 제도가 비합리적이고 객관적이지 않다는 인상을 준다. 결국 성과와 역량으로 자신을 평가하는 것이 아니라 얼마만큼 자신을 평가하는 상사들에게 잘 보였는지가 자신만의 평가 기준으로 자리 잡는다. 인사평가 제도가 사내 정치를 유발하는 제도로 전락하는 것이다.

─────────── 건강한 인사평가 제도가 되려면

그렇다면 제대로 된 인사평가를 하려면 어떻게 해야 할까? 내가 생각하는 제대로 된 인사평가는 끝이 아닌 시작의 평가 제도이다. 즉, 연봉과 승진이 결정되면 인사팀 캐비닛에 들어가 다시는 볼 수 없는 평가지가 아니라 다시 꺼내어 직원 하나하나에게 피드백을 줄 수 있는, 즉 구성원에게 긍정적인 영향을 주는 선순환적인 평가 제도이다.

그런 면에서 인사평가 제도는 처방의 개념이다. 기존의 인사평가 제도는 주관적인 판단으로 이 조직의 핵심 인재가 누구인가만을 가려내는 제도였다. 그러나 이제는 우리 회사 인재들의 부족한 점을 채워주는 처방으로서의 인사평가 제도가 시행되어야 한다.

예를 들어 회계부 A 직원이 인사평가에서 업무 지식은 매우 훌륭하게 갖추었지만 커뮤니케이션이 부족하다는 평가를 받았다면, 인사팀에서는 이 직원의 부족한 점인 커뮤니케이션 향상 교육을 시행하여 개인이 성장할 수 있도록 도와주어야 한다. 즉, 인사평가 제도로부터 나온 피드백이 교육 제도에 영향을 주고 마침내 개인의 성과에 다시 영향을 미쳐 좋은 평가를 받을 수 있는 선순환 구조가 생기는 것이다. 이렇게 되면 직원은 자신에게 도움이 되는 교육 제도에 대한 취지를 이해하고 회사가 시행하는 인사평가 제도에 대한 깊은 신뢰감을 느끼게 된다. 이렇듯 인사 담당자는 어떻게 인사평가 제도를 회사의 다른 제도와 연결할 수 있을지 고민할 수 있어야 한다.

인사팀은 평가 기준을 합리적이고 공정하게 설계해야 한다. 합리적이고 공정한 평가를 받았다고 판단한 조직원들은 회사에 신뢰감을 느낀다. 따라서 평가 기준 설계는 일회성으로 그쳐서는 안 된다. 인사팀은 조직원들에게 신뢰를 얻을 수 있도록 끊임없이 평가 기준의 타당성을 점검해야 한다.

합리적이고 공정하게 설계된 평가 기준은 각기 다른 역량을 지닌 직원들을 적재적소에 배치하거나 성과를 인정하는 데에 유용하게 활용할 수도 있다. 즉, 조직원들의 역량과 성과를 정확히 평가하여 커뮤니케이션이나 리더십의 역량을 지닌 직원에게는 리더의 역할을 맡기고, 높은 성과를 보여주는 직원에게는 이에 상응하는 보상을 해주는 식이다.

평가자 교육은 단순히 평가 기준에 대한 객관적인 사실을 전달하는 자리가 아닌, 평가자들에게 인사평가 제도의 취지와 조직에 미치는 영향에 대해 충분히 설명하는 자리가 되어야 한다.

급여의 역습

"이사원은 앞으로 우리 회사에서 급여 업무를 담당하세요."

갓 회사에 입사했던 신입사원 시절, 팀장님의 이 한마디를 듣고 얼마나 서운한 마음을 느꼈는지 모른다. 당시 나는 직원 300명이 넘는 중소기업의 인사팀으로 입사한 후 벅찬 꿈에 부풀어 있었다. 회사 전체를 대상으로 한 화려한 인사기획, 사람을 적재적소에 배치하는 채용 업무 등 멋있어 보이는 업무를 할 것이라는 기대가 나를 사로잡았기 때문이다.

그런데 급여 업무라니? 스물여섯, 갓 대학을 졸업한 어린 신입사원에게 급여 업무는 다른 사람에게 내 직무를 밝히지 못할 정도로 보잘 것 없이 단순한 업무였다. 당시에는 창피함에 친한 친구들에게도 내 일이 급여 업무라는 사실을 말하지 않을 정도였다.

급여 업무는 멋있는 커리어우먼 이미지와는 거리가 멀었다. 다른 사람의 연봉을 결정하거나 승진 대상자를 정하는 등 회사에 있는 모든 직원에게 영향을 끼치는 일은 대단하게 느껴졌다. 하지만 고작 직원들에게 날짜를 맞추어 월급이나 주는 일은 능력 있는 커리어우먼인 나에게는 어울리지 않다고 생각했다.

회사의 정책을 결정하고 인재를 육성시키는 업무를 관장하는 인사 직무에서 왜 급여 업무까지 처리해야 하는지 이해되지 않았다. 결국, 내가 말단 사원이니까 모두가 기피하는 급여 업무를 나에게 미룬다는 근거 없는 결론에 이르게 되었다. 되돌아보면 참으로 건방진 생각이었다.

인수인계를 받고 전임자가 작성해놓은 엑셀 시

트를 멍하니 바라보았다. 처음에는 무엇을 어떻게 해야 할지 감도 잡히지 않았다. 하지만 급여 업무는 쉽고 단순하다고 생각했기 때문에 크게 걱정하지 않고 업무를 시작했다.

그러나 급여는 만만한 상대가 아니었다. 마치 지금까지 받았던 천대와 괄시를 복수라도 하듯이 나에게 칼을 갈고 있었다. 급여는 생각보다 복잡했고 내가 쉽게 처리할 수 있는 분야가 아니었다.

세법과 근로기준법, 그리고 4대보험에 대한 배경지식이 있어야 업무처리를 할 수 있었다. 직원들에게 지급되고 공제되는 급여는 끝자리 하나까지 관련 법령과 사내 규정에 따라 결정되었다. 단 1원도 오차가 생기면 안 되는, 매우 까다로운 업무였다.

또한 회사 내부 사정을 자세하게 알아야 했다. 회사를 들어오는 직원과 나가는 직원, 휴직하는 직원 등 모든 직원의 근태사항을 정확히 알아야 비로소 급여를 계산할 수 있었다.

이것이 끝이 아니었다. 익숙해질 만하면 4대보험 연말정산 시즌이 돌아왔고, 또 익숙해질 만하면 소득세 연말정산 시즌이 와서 새로운 내용을 계속 공부해야 했다. 정보의 양은 생각보다 막대했다. 결국 그렇게 무시하던 급여 업무에 백기를 들었다. 그리고 두 팔을 걷어붙이며 제대로 공부를 시작했다.

약 1년 정도 급여 업무를 다루고서야 급여 업무의 소중함을 알게 되었다. 알아야하는 지식이 많아서가 아니었다. 내가 마음대로 기준을 정해서 할 수 없는 업무이기 때문도 아니었다. 급여 업무를 시작하면서 터득한 다양한 지식이 결국 다른 인사 업무에서도 중요하게 작용한다는 사실을 깨달았기 때문이다. 이 사실을 알고 왜 대다수의 기업이 사원과 대리급에게 급여 업무를 시키는지 비로소 알게 되었다. 기본과 핵심을 알아야 다른 중요한 일도 할 수 있다는 뜻이었다. 중소기업에서 급여 업무를 하지 않고 다른 인사업무를 맡는다는 것은 반쪽짜리 업무로밖에 그치지 못한다. 그 사실을 모르고 팀장님을 원망하고 탓하기만 했으니 나는 모자라도 한참 모자란 사원이었다.

—— 급여는 직원들의 사정을 숫자로 번역한 것이다.

우리 회사에 첫 출근한 이후 열흘을 일한 사원, 이제 곧 출산휴가를 떠나는 직원, 육아휴직을 보내고 있는 직원, 곧 퇴직을 앞둔 직원, 수습 기간을 적용 받는 신입사원 등 회사에는 다양한 직원들의 사정이 있고 각각 받는 월급도 다르다.

나는 급여 업무가 마치 번역과 같다고 생각한다. 번역은 각각의 문장은 내용이 모두 다르지만 결국 하나의 언어로 바뀌어 완성된다. 급여 업무도 직원 개개인의 사정이 숫자로 바뀐다는 점에서 비슷하다.

또, 각국의 언어를 번역가가 하고 싶은 대로 바꾸는 것이 아니라 그 언어의 문법과 그 나라의 문화적 배경을 고려하여 결과물을 완성하는 점에서도 번역과 급여 업무는 비슷하다. 급여도 담당자가 마음대로 기준을 정하는 것이 아니라 각종 법률과 회사 규정을 적용하기 때문이다.

이 과정에서 실수가 있으면 그 결과에 영향을 받는 사람들에게 엄청난 비난을 감수해야 하는 점도 비슷하다. 그래서 번역가와 급여 담당자는 끊임없이 공부를 해야 한다.

<hr>

인원현황관리

급여 업무를 하면서 가장 먼저 해야 할 일은 이번 달에 몇 명의 인원에게 급여를 줄 것인지 대상을 파악하는 것이다. 전월에 퇴사한 직원들은 명단에서 삭제해야 하고, 새로 입사한 직원들은 명단에 추가해야 한다. 무급휴가, 각종 휴직을 신청한 사람들도 언제 그 일정을 시작하고 종료하느냐에 따라 급여 지급 여부가 달라진다. 따라서 매월 급여 대상자 수는 다르다.

이런 과정을 반복하면서 급여 담당자는 모든 인사 업무의 기본인 인원현황을 자연스럽게 알게 된다. 이는 나중에 과장이나 차장급에서 담당하는 인사기획 업무를 할 때 큰 도움이 된다. 인사기획 업무의 시작은 인원현황을 파악하는 일이다. 우리 회사의 인력이 어떻게 구성되어있는지 알아야 인사기획 방향 또한 정할 수 있기 때문이다.

더불어 입사인원과 이직률, 직급별 분포 등을

살펴보며 우리 회사의 인력 구조는 어떤 식으로 형성되어 있는지 판단해보자.

건강검진 후 결과를 받아보면 나의 몸에 대한 정보를 알 수 있다. 근육과 지방은 적절한 밸런스를 이루었는지, 콜레스테롤 수치는 평균과 비교해서 어떤지와 같은 내용이다. 이것은 내가 건강한지, 혹은 특별한 조치가 필요한지를 판단하는 중요한 근거가 된다.

통계청에서는 매분기마다 산업별 이직률을 발표한다. 이와 비교하여 우리 회사의 이직률이 동종 산업 업계의 평균 이직률보다 높다면 조직문화나 인력 운영에 문제가 있다고 판단할 수 있다.

회사의 지급별 분포를 따져보았을 때 대리급 이상의 직원이 상대적으로 많은 비중을 차지한다면 향후 승진 대상자 선정 문제, 리더 결정 문제와 인건비 부담 문제 발생을 예상할 수 있다.

회사의 통계는 HR에게 보내는 일종의 사인이다. 인사총무는 회사의 통계를 통해 앞으로 발생할 문제를 예상하고 이를 대비할 수 있어야 한다.

급여 업무는 인사 상식 자격증이다.

회사에서는 사용자와 근로자의 합의에 따라 연봉계약서를 작성하고 약속에 의한 급여를 지급한다. 그러나 급여를 지급하기 전 급여 담당자는 연봉계약서를 포함하여 수많은 법과 규정을 생각하고 적법성과 적절성을 판단한 후 최종 지급을 결정해야 한다.

근로기준법에 따라 시간당 급여가 최저임금의 수준에 미달하지는 않는지, 주휴수당은 제대로 반영이 되었는지, 연장근무는 법적 한도를 넘지는 않았으며 적법한 가산율을 반영하여 계산하였는지 확인해야 한다. 또한 4대보험 관련법과 세법에 따라 4대보험 가입 대상이라면 가입이 제대로 되었는지, 급여에 맞게 소득세를 예수하였는지도 확인해야 한다.

이 외에도 통상임금, 평균임금 등에 대한 개념을 알아야 관련 업무를 할 수 있다. 최근 각종 노동이슈가 불거지고 있고, 관련 판례에 따라 예전과 업무를 달리해야 하는 경우도 많다. 따라서 급여 담당자는 항상 최신 노동이슈에 관심을 기울여야 한다.

그러나 과연 이것이 급여 업무를 담당하는 경우에만 알아야 하는 지식일까? 최근 주 52시간 근무제가 도입되면서 많은 기업주는 부담을 느꼈다. 공장을 소유한 기업주와 인사팀은 효율적인 교대제 운영방안을 찾기 위해 고심했다. 수많은 기업이 탄력근로제를 도입해 대응책을 마련했다. 최저임금이 가파르게 인상되면서 기업의 인건비도 인상이 되었고 많은 회사의 연봉 테이블도 재조정되었다.

이런 업무는 관련 지식과 어느 정도의 경력을 갖춘 인사팀 직원들이 할 수 있는 일이다. 그러나 기업정책이 법에 따라 변화가 생기면 최전선에서 그것을 이해하고 처리해야 하는 직원은 바로 급여 담당자이다. 따라서 급여 담당자의 자리는 업무를 하면서 법과 기업정책의 변화를 온전히 느끼며 실질적으로 어떻게 적용이 되는지 배울 수 있는 직접적인 현장이다.

내가 사원일 때 이 업무를 하면서 법, 규정에 대한 정보를 짧은 시간에 숙지하기가 매우 어려웠다. 그럴 때마다 나의 무능력함을 탓하고 낙담에 빠지기도 했다. 하지만 몇 년 후, 급여 업무를 하며 익혔던 모든 지식이 우리 회사의 인사정책을 기획하면서 핵심 지식으로 쓰이는 것을 보고 급여 업무를 경험했다는 사실이 정말 다행이라고 생각했다. 만약 내가 급여 업무를 제대로 해보지 않았다면 이렇게까지 성장할 수는 없었을 것이다. 급여 업무 경험은 인사 상식과 관련 지식의 풍부함을 증명해주는 자격증이다.

원칙과 예외, 그 사이

인사총무팀에서 일하면서 가장 당황스러운 순간은 직원들이 개인적인 부탁을 할 때이다. 원칙을 벗어나지 않은 가벼운 부탁일 경우에는 나 역시 많이 고민하지 않는다. 그러나 가끔 자신의 이익을 위해서 또는 자신의 잘못을 감추기 위한 수단으로 인사총무팀에 모종의 거래와 같은 커뮤니케이션을 시도하는 순간이 있다. 그때는 나 역시 당혹스러운 감정을 숨기지 못한다.

한번은 이런 적도 있었다. 내가 근무했었던 회사

는 근태관리에 굉장히 엄격한 편이었다. 그래서 직원들이 지각할 경우, 그날 본인에게 지각경고장을 보내는데 이때, 팀원의 관리자인 팀장에게도 함께 참조하여 지각경고장을 보냈다.

어느 아침, 평소와 마찬가지로 근태 관련 업무를 하고 지각경고장 발송을 준비하고 있는데 누군가 업무용 메신저를 보냈다. 바로 오늘 지각한 직원이었다.

"주임님, 혹시 오늘만 팀장님께 지각경고장 발송 안 하면 안 될까요? 저희 팀장님 오늘 휴가이신지라 제가 지각했다는 걸 모르거든요. 팀장님께서 내일 오셔서 이메일 보시면 많이 혼내실 것 같아서요. 주임님께서 보내시는 이메일에서 참조만 빼시면 되는데… 어려운 부탁일까요?"

어렵고도 쉬운 요청임을 직원 본인도 알고 있는 듯했다. 그의 말대로 내가 이메일에서 참조만 빼면 되는 아주 쉬운 부탁이었다. 하지만 원칙을 깨야 하는 판단이 필요한 일이었으므로 어려운 부탁이기도 했다. 나는 그 순간 두 가지 생각이 떠올랐다.

첫 번째, 직원의 부탁을 들어주면 조직 내 어떠한 부작용이 있을까에 대한 생각이었다. 그리고 선례라는 말이 떠올랐다. 내가 이 부탁을 들어주면 당장 지각을 한 직원은 다음 날 팀장에게 좋지 않은 소리를 듣지 않아도 된다는 생각에 안도의 한숨을 쉬겠지만, 다른 직원들이 이 사실을 알게 된다면 나중에는 너도나도 비슷한 부탁을 할 것이 뻔했다.

두 번째, 제도의 취지를 판단하였다. 당시 다니고 있는 회사의 산업은 의류 OEM 제조업이었다. 의류 하나를 만들 때는 각 공정을 담당하는 사람들이 모두 모여 이야기를 했고, 고객과 약속한 납품 스케줄을 맞추기 위해 늘 노력했다. 따라서 그들에게 시간은 금이나 마찬가지다. 이러한 회사 분위기 때문에 우리 회사의 근태 제도는 다른 회사보다 엄격한 경향이 있었다. 더욱이, 경영진들은 팀 리더들이 실무만 하는 것이 아니라 소속팀원들을 관리하고 육성하는 것 또한 관리자로서 그들의 의무라고 생각했기 때문에 앞서 말한 방식으로 제도를 운영하고 있었던 것이었다.

제도의 취지를 이해하고 원칙을 깬 선례를 만들 수 없다는 판단을 한 나는 해당 직원에게 부탁을 들어줄 수 없다고 답변하였다. 그 직원은 자신의 요청이 거부된 것을 알고 별것 아닌 것 가지고 깐깐하게 군다는 의사표시를 하면서 인사총무팀에 대한 불만을 강하게 드러냈다. 그러나 그러한 직원의 불만이 불편해서 요청을 들어줄 수는 없었다. 이 작은 부탁을 들어주면 나중에 일어날 나비효과들이 눈에 보였기 때문이다.

그러나 이런 케이스와는 반대로 인사총무팀이 스스로 원칙을 깨고 예외를 둔 한 일화도 있다. 약 15년을 한 회사에 근무했던 실장님은 어느 날 회사의 결정에 의해 권고사직을 당하는 아픔을 겪었다. 그에게 주어진 거액의 퇴직위로금도 그의 허무함을 채워줄 수는 없었다. 그는 쓸쓸히 마지막 인사를 하며 돌아섰다.

몇 달 뒤, 비용정리를 하다가 회사가 실장님으로부터 받아야 할 비용이 있다는 사실을 뒤늦게 알게 되었다. 담당자는 크게 당황하였고, 이것을 어떻게 해야 하나 고심을 하다 결국 임원에게 자문하였다. 당시 경영 임원은 이렇게 말하면서 우리의 결정을 도와주었다.

"당연히 회사가 안고 가야 할 비용 아닐까요? 그는 15년을 이 회사에 헌신하였습니다. 10년 전에는 해외공장에서 일하다가 위험한 일을 당할 뻔도 하였죠. 그는 회사가 어렵다는 말에 아무 말도 하지 않고 권고사직을 받아들였습니다. 비록 안타깝게도 권고사직으로 마무리되었지만, 그의 15년의 헌신과 추억이 회사에 있습니다. 고작 크지도 않은 이 비용 때문에 그것들을 모두 훼손하진 않았으면 하네요."

인사(人事), 사람을 다루는 일이다 보니 인사총무팀에서 일하다 보면 혼란스러울 때가 참 많다. 선례를 만들지 않기 위해 원칙을 적용해야 할까? 아니면 예외를 두어야 할까? 하지만 몇 년이 지나도 언제 원칙을 적용해야 하고 언제 예외를 두어야 하는지 아직도 잘 모르겠다. 10년의 경력을 가지고 있으면 터득할 수 있을까? 대학원에 진학하면 이런 고민쯤은 말끔히 해결할 수 있을까? 그것도 잘 모르겠다.

며칠 전, 영화 곡성을 보았는데 이런 대사가 나왔다.

"뭣이 중헌디"

우리는 모든 상황을 예상하고 규정을 만들 수 없다. 그래서 예외는 언제든지 나오게 되어 있다. 아직 나도 답을 잘 모르겠지만 인사총무를 함에 있어서 원칙이냐 예외이냐를 결정할 때, '무엇이 중헌지'를 생각해보면 어쩌면 답은 쉽게 나오지 않을까?

Chapter 4.

오늘의 인사총무, 고민

21세기의 신(新)도둑들, '노쇼'

'그대를 만나고, 그대의 머릿결을 만질 수가 있어서, 다행이다.'

당신의 통화연결음은 이적의 '다행이다'를 외치고 있지만, 나의 마음속은 '불행이다'를 외치고 있다. 면접을 본다는 그대, 왜 오지도 않고 전화도 안 받는가.

오늘도 '노쇼'다.

나는 중소기업에서 채용 업무를 진행하고 있다.

우리 회사에 관심을 두고 지원을 한 지원자들에게 서류합격 소식을 전하고 나서 3일이 지났다. 그리고 마침내 면접일이 되었다. 그러나 불행하게도 오늘은 8명 중에서 2명이 연락조차 하지 않은 채 면접에 참여하지 않았다. 그래도 불행 중 다행이다. 평소보다 노쇼율이 낮은 날이다.

이미 지원자의 노쇼는 일상화가 되어버린 듯하다. 그리고 채용 담당자가 느끼는 체감 노쇼율은 해가 지날수록 그 정도가 갈수록 심해져 이제는 도를 지나치고 있다는 생각이 든다.

요즘은 모든 게 참 쉽다. 마음먹고 인터넷으로 이력서를 하나만 쓰면 클릭 한 번으로도 하루에 100개가 넘는 회사에 지원이 가능하다. 하지만 이렇게 지원이 쉬워진 만큼 회사를 제대로 알아보지도 않고 마구잡이 식으로 이력서를 접수하는 지원자들도 많다.

어느 날은 노쇼가 너무 많은 나머지 대체 왜 이러는 건지 궁금해서 아는 후배에게 요즘 지원자들의 지원방식은 어떻게 되냐고 물어보았다. 그리고 이러한 대답을 들을 수 있었다.

"그렇지 않은 친구들이 더 많지만, 어떤 친구들은 회사를 제대로 알아보지도 않고 그냥 지원하는 경우도 많습니다. 서류합격 전화가 오면 일단 면접에 참여한다고 대답하고 전화를 끊어요. 사실, 중소기업의 회사 이름은 잘 안 알려져 있잖아요. 그래서 그런지 회사 이름도 잘 몰라서 그들이 지원한 회사의 이력을 다시 찾아보기도 합니다. 그리고 그제야 전화가 온 회사에 대한 정보를 찾아보죠. 그리고 면접에 참여해야 하는지 말아야 하는지 고민하기 시작하는데, 그러다가 이 회사가 자신과 맞지 않는다고 생각하면 면접장에 안 가면 그만이에요."

순간 허무함이 몰려왔다. 그간 '왜 이렇게 노쇼가 많은 것일까?', '혹시 우리 회사에 문제가 있는 것일까?', '내가 무엇을 놓치고 있는 것일까?' 라고 끊임없이 스스로 질문해왔던 것에 대한 허무함이었다.

회사는 허수 지원자를 한 사람 한 사람 가려내기가 여간 쉽지 않다. 즉, 누가 우리 회사에 정말 관심을 두고 신중하게 지원하였는지 아니면 무심하게 아무 생각 없이 클릭 한 번으로 이력서를 넣었는지 알 수 없다. 결국 회사가 할 수 있는 일은 신중하게 이력서를 한 번 더 검토하는 일이다. 그리고 면접에 참여할지 안 할지 끊임없이 확인하고 확인하는 과정을 넣을 수밖에 없다. 그래도 안 되면 허수를 감안하고 10배수나 15배수씩 면접 대상자를 선발하는 것이다.

나는 노쇼 지원자들에게 하고 싶은 말이 있다. 의도하지 않았겠지만, 여러 가지를 훔친 도둑이라고 말이다. (편의상 노쇼 지원자를 '당신'이라고 지칭합니다.)

당신은 다른 사람의 기회를 훔쳤다. 세상에는 아무리 작은 규모의 중소기업 직무라도 그 직무에 필요한 지식과 기술을 배우기 위해서 혹은 돈을 벌기 위해서 그 자리를 간절하게 원하는 사람들이 있다. 그들 중에 어떤 사람은 학업에 열정을 가지고 야간대학교에 다니면서 그 직무를 공부한 사람도 있다. 또 어떤 사람은 평일에는 회사에 다니며 주말에는 학원 수업을 수강하며 자격증을 딴 사람들이 있을 수도 있다. 그러나 현업부서의 담당자들은 그들보다 당신의 이력서를 보고 발전 가능성이 더 높다고 판단하여 기회를 준 것이다. 만약 당신이 좀 더 신중하게 지원을 생각했다면 더 많은 사람에게 기회가 돌아갈 수도 있었다는 사실을 명심하면 좋겠다.

당신은 다른 사람의 시간도 훔쳤다. 채용을 진행하다 보면 이미 다른 기업에 재직하면서 이직을 고려하는 지원자들이 많다. 그래서 일부 지원자들은 퇴근 후 저녁 시간대에 면접을 볼 수 있는지 요청하기도 한다. 그리고 회사는 지원자를 배려하여 스케줄을 조정한다.

그러나 안타깝게도 이 경우에도 임원과 실무진이 모두 기다리고 있는 면접장에 아무도 오지 않는 경우가 있다. 이 중 누군가는 당신 때문에 사랑하는 가족과의 저녁 식사를 미루었을 수도 있다. 당신은 우리 모두의 시간을 훔쳐간 것이다. 아울러 이런 전례가 있으면, 더는 회사에서 업무시간 외에 면접 스케줄을 잡는 배려를 하지 않는다.

나는 언제쯤 통화연결음에서 '불행이다'를 느

끼지 않는 순간이 올까? 나는 모든 지원자가 '우리 회사, 우리 조직에 들어와서 참 다행이다'라는 마음이 들길 원한다.

연차촉진제, 저희도 안하고 싶습니다.

"이거 돈 안 주려고 하는 거지? 나 참, 돈은 안 줘도 돼요. 연차 사용할 시간을 좀 주고 이런 걸 하던가. 에휴…"

(이 소리는, 강남구 한 의류회사의 직원들이 인사총무팀으로부터 받은 연차촉진 통보서를 보며 하는 말입니다.)

라디오에서 흘러나오는 아름다운 노랫말이었으면 얼마나 좋았을까. 그러나 잔인하게도 이것은 사무실에서 외치는 직원들의 한탄이다.

매년 7월, 인사총무팀은 직원들에게 종이 한 장씩을 배부한다. 쓰지 않은 연차휴가를 남은 기간 소진할 휴가소진 계획을 작성하여 인사총무팀으로 접수하라는 내용이다. 그렇다면 이렇게 작성한 연차휴가를 계획대로 소진하지 않았을 경우에는 어떻게 될까?

계획한 날이 다가오면 직원의 책상 위에는 종이 한 장이 놓여 있다. 이 종이에는 '당신이 연차휴가를 이 날짜에 소진한다고 하였으나, 굳이 일하러 오셨군요. 우리는 이제 당신이 일하든 무엇을 하든 모르는 일입니다. 우리는 연말에 연차수당을 주지 않습니다.'라는 메시지를 아주 교묘하게 전달한다. 이른바 '노무 수령 거부서'라고 불리는 서류이다.

일부 시스템이 갖춰진 대기업에서는 직원이 출근하여 모니터를 켜면 깜찍한 캐릭터와 함께 '오늘은 쉬는 날!'이라는 메시지가 나오도록 조치한 경우도 있다. 좋지 않은 메시지인 만큼 직원이 최대한 부정적으로 생각하지 않게끔 조치를 하는 것이다. 그러나 알고도 일이 바빠서 회사에 나온 직원들에게 그 캐릭터가 깜찍하게 보일 리가 없다. 오히려 끔찍하게 보일 것이다.

이렇게 비합리적으로 보이는 연차촉진 제도는 놀랍게도 근로기준법 제 61조에 의한 합법적인 조치이다. 물론 회사는 연차촉진제를 시행하지 않아도 된다. 그러나 이런 경우 회사는 연말에 직원들이 쓰지 않은 잔여 연차수당을 계산하여 연차수당으로 지급해야 한다. 따라서 많은 회사는 연차수당 지급 의무에서 벗어나기 위해 연차촉진제를 시행하고 있다.

하지만 연차소진 계획서를 나눠주는 인사 담당자와 이를 받는 직원 둘 다 이 제도를 반기지 않는다. 이 무렵이 되면 나도 담당자로서 걱정부터 앞서온다. 연차촉진 계획서를 한 장씩 나누어주면서 직원들의 얼굴을 볼 수밖에 없는데 대놓고 짜증을 내는 것은 기본이요, 돌아서면 한숨을 쉬는 등 말하지 않아도 무슨 말을 하는지 알 수가 있다.

"대리님, 연차 쓸 시간도 없어요."

"연차 쓰면 어디 가냐고 물어보는데 대체 쓸 수

가 있어야죠."

"상사도 안 쓰는 연차를 제가 어떻게 씁니까?"

직원들이 얼마나 열심히 일하는지 알기에 이런 이야기를 들으면 담당자로서 어떠한 해결방안도 제시해줄 수 없다는 사실이 때로는 서글프게 느껴진다. 직원들에게 부여된 휴가는 1년에 단 15일이다. 그런데 이 15일의 휴가를 쓰는 것이 왜 이렇게 힘들까?

인사 담당자로서 나의 작은 바람은 직원들이 그들 자신을 위해 아무 생각 없이 15일을 쉴 수 있었으면 하는 것이다. 지금처럼 회사가 직원이 연차휴가를 사용하지 않으면 수당으로 보상을 해준다거나, 연차촉진제를 시행하여 연차수당을 안 준다거나 하는 것들은 솔직히 이제 다 없어졌으면 좋겠다. 직원들 역시 바빠서 휴가를 못 떠난다는 둥 서로 눈치를 보느라 못 간다는 둥 하는 일들이 없었으면 좋겠다.

그러기 위해서는 법, 규정, 조직문화, 업무 시스템 등 많은 것이 바뀌어야 한다. 오늘도 휴가 제도의 본질이 무엇인지 생각에 잠긴다. 그리고 인사를 책임지는 담당자로서 더 열심히 일해야겠다고 생각한다. 우리 회사 직원들이 휴가를 마음껏 쓸 수 있도록 말이다.

법정의무교육, 무엇이 문제일까?

12월이 되면 한숨이 나온다. 성희롱 예방 교육, 개인정보 보호 교육, 장애인 인식 개선 교육 등 정부에서 직원들을 대상으로 기업에 의무적으로 시행하라고 하는 교육들이 줄지어 예정되어 있기 때문이다.

정부가 이러한 법정의무교육을 시행하라고 하는 취지는 관련된 사회적 이슈로부터 문제점으로 제기되고 있는 시민의식 부재에 대한 강화, 기업의 책임 강화, 알 권리, 인식 개선 등일 것이다. 그러나 일부 기업의 경영진은 '우리 기업에서 설마 성희롱 사건이 일어나겠어?'와 같은 생각으로 이러한 교육을 중요하게 생각하지 않는다. 따라서 애초에 교육비를 예산으로 책정하지 않는 중소기업도 많다.

예산이 부족한 내부 교육 담당자는 본인이 직접 교육을 시행한다. 하지만 전문적인 강사교육을 받은 것이 아니기 때문에 교육이라고 이름 붙이기가 민망할 정도로 단순하게 시간을 보내는 경우가 부지기수다. 대충 파워포인트를 켜놓고 직원들 앞에서 그 내용을 한 시간 동안 읽는 경우가 대표적이다. 이런 교육은 효과도 없고 정부가 원하는 근본 취지를 살릴 수도 없다.

그러나 기업으로서는 법적으로 의무를 지는 교육이라서 나중에 시행하지 않은 사실이 드러나면 과태료를 내게 된다. 따라서 책임을 면피하기 위해 취지는 무시한 채 형식상으로만 교육을 진행한다.

물론 대다수의 교육 담당자는 법정의무교육을 형식적으로 진행하는 것보다는 전문 강사에게 강의를 맡기는 것이 효과 측면에서 더 좋다고 생각한다.

하지만 회사에서는 이러한 교육에 전문 강사 쓸 돈이 어디 있냐며, 그저 담당자에게 진행할 것을 지시한다. 결국 매년 형식적인 교육이 되풀이될 수밖에 없다.

고용노동부에서는 이런 문제점을 인식하고 몇 년 전부터 온라인 성희롱 예방 교육에 대해 교육비를 환급해주는 등 다양한 지원책을 마련하고 운영하고 있다. 그러나 근로자가 온라인으로 교육을 들으면 효과는 더더욱 미미하다. 업무시간에 교육 동영상에 재생 버튼만 누르고 자리를 떠난 뒤 한 시간 후 다시 제자리로 돌아와 수료증만 받기 때문에 이 또한 형식적일 수밖에 없고 오히려 안 하느니만 못한 교육이 될 수 있다.

나는 다른 사람들 앞에서 발표하는 것을 두려워하는 성격은 아니다. 오히려 좋아하기 때문에 이러한 교육을 내가 진행해야 한다는 사실을 알고 역량개발을 할 수 있다는 좋은 기회라고 생각했다. 나는 이왕 하는 김에 '교육의 취지를 살리고 우리 회사에 성희롱 사건이나 개인정보 유출정보 사건 같은 것은 절대 일어나게 하지 않을 거야'라는 마음을 먹었다. 그리고 열심히 자료를 만들고 강의를 준비했다. 파워포인트 화면 앞에 서서 발표할 준비에 설레었다. 그러나 그것도 잠시, 직원들이 하품하며 문을 열고 교육장으로 들어오면서 하는 말들은 교육을 시작하기도 전에 내가 준비한 시간과 노력에 비수를 꽂기 시작했다.

"우리 성희롱 안 한다니까~, 매년 듣는 성희롱 예방 교육 지겨워 죽겠어."

"이대리, 일이 너무 바쁜데 여기에 교육 들었다는 서명만 하고 다시 현장 가면 안 될까?"

"다 좋은데…, 굳이 연말에 교육해야겠어? 우리 연말에 너무 바쁘다고!"

머릿속이 하얘지면서 무슨 말을 해야 할지 고민했지만, 곧 아무렇지 않은 척 미소를 되찾고 직원들에게 자리를 안내하였다. 나는 곧 그 순간을 떨쳐버리고 준비한 대로 교육을 진행하였다. 강의는 직원들의 박수와 칭찬 속에 마무리되었다. 하지만 한동안 교육 업무 전체에 대해 의욕이 꺾여있던 것이 사실이다. 아직도 이런 일은 매년 반복되고 있다. 이제는 그러려니 하고 넘어갈 정도로 담담해졌다.

그러나 조금만 뒤집어서 직원들의 입장을 헤아려보면 그럴 수밖에 없다는 생각이 든다. 매일 보는 엄마나 아내가 옳은 조언을 해도 잔소리로 들리듯이, 매일 보는 직원이 교육 담당자랍시고 갑자기 가르치려 들면서 관심도 없는 교육을 한다고 하면 과연 교육 효과가 있을까? 당연히 듣는 척만 할 뿐, 속으로는 오늘 먹을 점심에 대해서 생각하고 있을 것이다.

그러나 이왕 자신의 시간을 들여 노력하는 교육 담당자에게 교육 시행 자체에 불만이 있고 하고 싶은 말이 있더라도 조금만 자제를 해주었으면 하는 것이 교육을 준비한 사람의 마음이다.

지금도 교육을 진행하면서 무엇이 문제인지 모를 때가 많다. 무조건 하라고만 하는 정부? 전혀 교육비를 예산에 집어넣을 생각이 없는 회사? 책임을 피하려고 형식적으로 강의만 진행하는 담당자? 전혀 의미도 없고 효과도 없는 교육 프로그램에 지원만 하느라 중소기업 교육 담당자가 어떤 수모를 당하는지도 모르는 고용노동부? 교육 담당자의 시간과 노력에 비수를 꽂는 직원들?

오늘도 개인정보 유출이니 직장 내 성희롱 사건이니 하며 TV에 보도되는 뉴스를 보며 한숨을 내쉰다.

중소기업에서 남성육아휴직이란?

어느 날, 업무를 보고 있는데 모니터 화면 오른쪽 하단에 사내 메신저가 올라왔다.

"대리님, 저… 육아휴직을 쓰려고 하는데요."

글만 보고 여직원인 줄 알았던 나는 남직원의 요청인 것을 알고 내심 놀랐다. 회사에서 남자직원의 육아휴직 신청이 처음이었기 때문이다.

이제 배우자가 둘째를 낳는데 터울이 얼마 안

나는 첫째와 둘째를 모두 돌보기에는 상황이 여의치 않아 두 달간의 육아휴직을 신청하고 싶다고 한 직원, 결과는 어떻게 되었을까? 아마 예상한 사람도 있었겠지만, 회사의 완곡한 육아휴직 거절 의사가 있었다. 두 달 후 해당 직원은 자발적으로 퇴사하였다.

이 사례를 보는 많은 중소기업 인사 담당자들은 '그럼 그렇지'라고 담담한 반응을 보이리라 생각한다. 이미 많은 중소기업에서 너무나 많이 일어나고 있는 일이기 때문이다. 중소기업 인사 담당자 또한 안타깝지만 어찌할 수 없는 상황이기에 퇴사한다는 직원의 뒷모습을 미안한 마음을 담아 바라보기만 할 뿐이다.

많은 중소기업 대표들은 이렇게 높은 실업률에도 중소기업은 구인난이라고 정부의 대책을 요구한다. 정부는 역대 최저의 저출산율을 높이기 위해 막대한 예산을 투자한다.

그리고 오늘 뉴스에서는 남성 육아휴직 신청률이 전년도보다 몇 퍼센트나 올랐다는 보도가 나오지만, 누군가는 또 이런 말을 한다.

"대기업이나 저렇지…, 에휴…."

그저 내 아이를 내 손으로 키우고 싶다는 것이 큰바람일까? 정답은 우리 삶 속에 있는데 오늘도 본질은 무시한 채 각자의 손가락으로 다른 방향을 가리키기만 하는 것은 아닌지 생각에 잠기는 날이다.

따뜻한 말, 따뜻한 미소는
이대리도 춤추게 한다.

'드르르륵- 드르르륵-'
'위이이이이잉'

얼음정수기에서 얼음이 빠져나오는 소리, 커피
머신에서 아메리카노가 나오는 소리가 오늘 하루
끊임이 없이 들린다. 바로 오늘, 탕비실에 새로운 정
수기와 커피머신이 설치되었기 때문이다.

직원들은 새로운 기계에 호기심이 가득해 보인
다. 직원들 손에는 하나씩 아이스 아메리카노가 들

려있고 미소를 머금으며 한 모금씩 음미한다. 드디어 우리 사무실에도 커피머신이 생겼다고 말하는 직원들, 이제는 얼음 틀에 따로 얼음을 얼리지 않아도 된다고 좋아하는 직원들도 보인다.

나는 회사에서 총무 담당자로서 이럴 때 가장 큰 행복감을 느낀다. 팀장님에게 인사평가에서 유능하다고 인정받는 것보다, 직원들이 이렇게 작은 것이라도 좋아하고 행복해하는 것을 보면 정말 이 일에 성취감을 느낀다.

"오늘도 월급을 주셔서 감사해요, 이대리."

직원들에게 급여명세서를 주는 날에도 매우 기쁘다. 월급은 사장님이 주시지만, 급여 담당자인 나에게 이런 한 마디를 건네는 직원들을 보면 나도 모르게 힘이 난다. 이런 말에 월급을 처리하면서 힘들었던 여러 어려움도 눈 녹듯이 사라진다.

직원들의 따뜻한 미소, 따뜻한 말 한마디는 이대리를 춤추게 한다. 우리 직원들, 다음엔 복사기 더 좋은 걸로 바꿔줄게요! 이대리가 품의서 씁니다!

연말정산? 고통정산!

이번 주 금요일은 우리 회사 임직원들 모두가 좋아하는 월급날이다. 아, 정정하겠다. 대표님과 나만 빼고 모두가 좋아하는 월급날일 것이다. 입사자, 퇴사자, 그리고 휴직자, 수습사원 등 각자의 사정이 숫자로 통역되는 월급 파일에 드디어 '최종'이라는 이름을 입력한 후 결재도장을 찍고 나서야 야근에 지친 몸을 이끌고 퇴근을 할 수 있었다.

'막차'라는 팻말을 창 앞에 붙인 버스를 부랴부랴 잡아타고 자리에 앉았는데 버스에 설치된 TV

에서는 '연말정산 세금폭탄, 언제까지?'라는 자막과 함께 뉴스가 보도되고 있었다. 나도 모르게 인상이 찌푸려졌다. 매년 저런 뉴스는 연례행사처럼 한 번도 빠지지 않고 나오고 있다. 저런 보도를 하는 기자는 연말정산 교육을 한 번이라도 들었을지, 원리를 알고 하는 말일지 궁금하고 답답했다.

이런 뉴스가 연신 보도되는 소득세 연말정산 시즌에는 소득세를 돌려받는 직원들은 기쁨의 미소를 짓지만, 더 내는 직원들은 정부와 회사를 상대로 이미 마음속에서는 화형을 내렸을 것이다. 본인이 받은 결과물이 적힌 인쇄물을 가지고 인사총무팀으로 찾아와 매년 하는 말을 쏟아낸다.

"이대리! 작년에는 소득세를 환급받았는데 이번 연도는 왜 징수되는 거예요?", "회사에서는 해주는 것도 없으면서 맨날 돈만 뜯어가고…."

이런 말을 들을 때면 직원 하나하나 어떻게 하면 소득세를 덜 나오게 할 수 있을까 고민했던 나의 머리에 꿀밤이라도 때려주고 싶다. 그러나 오늘도 꾹 참고 설명을 시작하곤 한다.

매년 바뀌는 정부의 제도, 매년 우리 속도 모르고 떠들어대는 언론, 매년 자신들의 월급을 '퍼가요~♡' 한다며 인사총무팀을 질타하는 직원들 속에서 이 또한 월급에 포함됐다고 스스로 최면을 걸며 품의서를 작성한다.

아이고, 이제 곧 4월. 건강보험 폭탄 소식을 또 언론에서 떠들어 대겠구나. 어디 개구멍 없나. 숨어 버리게.

오늘도 사직서를 받았다.

　　회사를 나가는, 아니 정확히 말하면 회사로부터 나가달라는 부탁을 받은 직원들에게 사직서를 받고 최종적으로 면담하는 자리는 늘 기분이 별로다. 아무 말도 안 하고 펜으로 사직서에 이름과 서명을 묵묵히 적은 직원들은 항상 눈을 어디에 둬야 할지 모르는 것 같다. 당연히 자신이 소속된 공간이라 여기던 곳이 갑자기 낯설어지는지 여기 있는 그 누구보다도 소심하게 두 손을 모으고 테이블 위만 바라본다. 어제 지하철에서 가는 길에 울었고, 자신은 어떤 일을 당했고, 자신은 노력했고, 자신은 일하고 싶다는 말을 쏟아낸다.

　나는 미안한 마음을 최대한 표정에 가득 담고, 위로되지 않는 위로를 전한다. 본인에게 맞는 직장을 언젠가 찾을 것이라는 희망 이야기, 상사 혹은 업무와 맞지 않는다는 것을 이 수습이라는 기간에 빨리 알았다는 것이 어쩌면 다행일 수도 있다는 조언, 그리고 이러한 결정을 당신의 상사가 내릴 수밖에 없었던 최대한 긍정적인 이유, 당신의 입장도 충분히 이해된다는 공감의 말, 마지막으로 나중에 취업해서 힘든 일이 있으면 꼭 이야기해달라고, 내가 아는 노무사한테 이야기해서 도움이 될 수 있도록 해주겠다고.

　이렇게라도 소속감이 더는 느껴지지 않는 회사에 당신을 생각해주는 사람이 있다고 느끼게 해주고 싶다. 이들의 마지막 퇴근길을 지켜보고 내 손에 남은 사직서 서류를 정리하면 오만가지 생각이 교차한다.

　인간적으로는 안타까움도 들고, 회사에 대한

조금의 원망도 든다. 그러나 회사 역시 조직의 입장을 헤아리면 어쩔 수 없는 결정이었을 거라는 생각도 들고, 마지막으로 담당자 입장에서는 노무적 이슈가 생기지 않은 것에 대한 비겁한 안도감마저도 든다.

오늘 한 퇴사자의 말이 기억에 남는다.

"대리님, 전 아예 이 업을 떠나려고요. 다른 직무를 찾아야 할 것 같아요. 이 일은 저랑 안 맞는 것 같아요. 전 너무 상처를 받았어요. 저 이제 무엇을 해야 할까요. 모르겠어요."

조용히 손을 잡아주고 포기하지 말라고, 당신은 잘될 거라고 말했다. 그것 말고는 내가 어떤 것을 더 해줄 수 있었을까. 가끔 이 일이 참 씁쓸하다.

인사총무팀 직원은
어디에 성희롱을 말할 수 있나요?

"이사원은 인사기획팀의 유일한 여성이니까, 성희롱 고충 상담 담당도 맡도록 해요."

대학을 졸업하고 들어온 지 1주일도 안 되었을 무렵, 팀장님으로부터 처음으로 배정받은 업무는 '성희롱 고충 상담'이었다. 성희롱은 커녕 회사 품의서 작성법 또한 몰랐었던 그때, 여자라는 이유만으로 성희롱 고충 상담 담당을 맡은 것은 지금 생각해도 참 황당한 일이다.

당시에는 지금처럼 뉴스에 나올만한 큰 성희롱 이슈도 없었을뿐더러, 다들 성희롱을 당하더라도 참고 넘어가는 분위기였다. 그래서 인사총무팀 내부에서도 '우리 회사에 성희롱이 설마 일어나겠어?', '성희롱이 있어도 고충 상담은 안 들어올 거야'와 같은 생각이 만연해있었다. 그래도 겉으로 보기에 우리 회사가 성희롱 예방에 힘을 쓰고 있다는 구색은 맞추기 위해 신입사원에게 성희롱 고충 상담 담당을 배정한 것이다.

하지만 그 예상이 너무나 잘 맞아떨어졌다. 우리 회사에서 나에게 아무도 성희롱에 대한 고충 상담을 하지 않았다. 그러나 반대로 예상은 틀리기도 했다. 외부가 아닌 내부의 인사총무팀에서 가벼운 성희롱 발언들이 매일 이루어졌다.

밥을 먹으면서도, 횡단보도를 건너면서도, 담배를 피우면서도 내가 듣는 앞에서 사내 여직원 외모와 몸매에 대한 품평회를 열었다.

"엄사원은 얼굴은 예쁜데 하체가 아쉬워. 엉덩이가 조금만 컸어도 좋았을 텐데. 그렇지, 이사원?"

그럴 때마다 나는 나 자신이 성희롱 고충 상담 담당자라는 것에 환멸을 느꼈다. 나는 현재 성희롱을 당하고 있는데, 성희롱 고충 상담 담당자인 나는 누구에게 성희롱을 당하고 있다고 이야기해야 할까?

기업은 법적으로 매년 1회 성희롱 예방 교육을 진행해야 하는 의무를 지고 있다. 이것을 주관해야 하는 인사총무팀은 이를 위해 매해 강사를 섭외하지만, 일부 인사총무팀은 회사 강당에 직원들을 모두 모은 뒤 자신들은 강당 밖으로 빠져나간다.

물론 모든 인사총무팀이 그런 것은 아니다. 그러나 최소한 자신이 인사총무팀이라면 직원들에게 해야 하는 것과 하지 말라고 하는 것들에 대해 솔선수범하는 행동을 보여야 하는 것도 인사총무팀의 자질이라는 것을 모든 인사총무팀이 알았으면 한다.

회식도 업무의 연장?
우리는 진짜 업무입니다!

사장님이 기분이 좋으신지 갑작스럽게 임직원 전체회식을 하자고 제안하셨다.

순간 숨이 턱, 심장이 쿵.

'아, 오늘도 집에 일찍 가기는 힘들겠구나' 라고 생각하는 것도 잠시, 재빨리 자리로 돌아와 사장님께서 제일 좋아하는 고깃집에 전화를 걸어 예약을 한다.

"김사장님, 저 이대리입니다. 아유, 잘 계셨죠? 저희 6시에 50명 갑니다. 테이블 당 기본 눈꽃세트 준비해주시고, 맥주 2개, 소주 2개 부탁드리겠습니다. 맥주는 '가쓰', 소주는 '나중처럼'입니다. 네, 그럼 잘 부탁드리겠습니다."

직원들이 모두 모인 자리에서 건배사를 제안하는 사장님.

"자, 우리 직원들 이번에도 수고했고, 남은 분기도 잘해봅시다. 위하여!"

"위하여!"

사장님은 남은 분기를 위하여 건배사를 외쳤고, 나는 남은 직원들의 기분을 위하여 식당 아주머니께 추가메뉴를 외쳤다.

시간은 계속 흘러가고 직원들의 맥주잔이 마주치는 가운데, 나는 식당 한쪽에서 복잡한 계산을 하고 있다. 어느 테이블이 얼마나 먹는지 머릿속으로 쉼 없이 계산하고, 20분에 한 번씩 예상보다 금액이 얼마나 더 나왔는지 카운터로 달려가 확인 또 확인해야 하는 것이 인사총무팀의 숙명이다.

그렇게 왔다 갔다 정신없이 머릿속으로 계산을 하던 중 잠시 머리를 식히기 위해 대충 보이는 자리에 앉았다. 그러나 직원들은 나를 보자마자 탕비실에 '가누'라는 커피를 사주었으면 좋겠다느니, 화장실이 너무 춥다며 비데를 놔주었으면 좋겠다는 이야기를 꺼낸다. 또, 요즘 미세먼지가 너무 많아서 사무실 내에서도 마스크를 해야 할 지경인 것 같다며 공기청정기 설치를 해달라고 사장님께 이야기해달라고 하는데, 사장님을 2m 앞에 두고 왜 나에게 와서 속닥거리는지 도무지 이해할 수 없다. 혹시, 내 이마에 '이대리의 얼굴을 보면 평소 불만을 이야기하시오'라고 쓰여 있는 것일까?

　　잠시 쉬려고 앉았지만 이러다 내 몸이 폭삭 쉬어버리겠다 싶어 도망치듯 다시 일어나는데, 그새 사장님은 취하신 건지 매우 지쳐 보이신다. 카운터로 가서 대리를 불러 달라고 한 뒤 사장님을 부축하고 차에 모셔다 드린다.

　　'아, 그래도 오늘 회식은 빨리 끝났다. 2차도

하지 않았고. 오늘은 직원들 사이에서 아무 일도 일
어나지 않았어.'

오늘도 역시 마음속으로 이적의 '다행이다'를
한 소절 불러본다.

에필로그

독립서적으로 출간된 후 무수히 많은 메일을 받았다. 대부분이 인사총무직에서 일을 하고 있는 친구들의 고민 글이었다. 그들은 자신이 겪은 이야기를 스스럼없이 꺼내 놓았고, 먼저 경험해본 자로부터 속 시원한 대답을 듣고 싶어 했다. 그들이 독자이기 이전에 나와 같은 처지의 동료라고 생각돼서였을까, 마치 과거의 내 모습을 보는 듯했다.

솔직히 말하면 나 역시 그들과 별반 다르지 않다. 아직도 제도를 너무나도 잘 설계하고 싶고 그 중 복리후생은 모두가 만족할 수 있도록 완벽하게 구성해보고 싶은 욕심이 있다. 다른 회사의 이야기를 들을 때도 마찬가지다. 부장과 대리라는 직급 대신 ○○님이라는 호칭으로 서로를 부른다는 그 회사를 너무나도 부러워한다. 그리고 우리 회사의 수직적인 조직문화를 떠올리고는 다 뜯어서 고쳐버리고 싶은 마음에 사로잡힌다.

그러니까 사실은 나도 어떻게 일을 할 것이냐에 대해 수없이 생각하는 대한민국의 수많은 이대리 중 하나일 뿐이다. 나는 아직도 스스로가 미완성의 인간일 뿐이고, 배워야 할 것이 정말 많이 남았다고 생각한다. 그럼에도 불구하고 이렇게 부족한 나에게 성장의 원동력이 무엇이냐고 묻는 이가 있다면 나는 너무나도 진부하고도 뻔한 대답을 할 수밖에 없다. 그건 '고민하는 나 자신'이다.

아마 다수의 독자는 스스로 무수한 고민을 했고, 그것을 해결하기 위해 이 책을 집어 들었을 수도 있다. 물론 그 답을 찾았을지는 모르겠지만 그렇지 않다 하더라도 당신이 무언가를 끊임없이 고민하며 돌파구를 찾으려 한 이 최초의 노력을 잊지 않았으면 좋겠다. 그 시도가 쌓이고 쌓여 결국 큰 성장을 하게 될 것이니. 나는 오늘도 내일도 나와 당신이 하게 될 인사총무에 햇볕이 쨍하길 바란다. 아니 우리는 분명히 그렇게 될 것이다.